D0655631

AFSCHRIJVEN

HOOFDSTUK 1

Het was de eerste zonnige dag in maart. Michelle Poortman keek verlangend naar buiten. Alles zag er zo lekker fris uit na de koude winter met veel sneeuw die achter hen lag. In het grasperk aan de overkant zag ze de eerste krokusjes hun kopjes al boven de grond uitsteken. Ze had best zin in een lange wandeling, maar ze had afgesproken met haar vriendin Louise. Omdat de man van Louise, Dave, op dat moment aan het werk was in hun cateringbedrijf en Michelle's vriend Ruben naar de bowlingbaan was vertrokken, hadden de twee vriendinnen afgesproken de zondagmiddag samen door te brengen. Wat overigens niet inhield dat ze de deur niet uit konden, bedacht Michelle terwijl ze de waterkoker vast aanzette om een pot thee te zetten. Lekker wat buitenlucht snuiven was tenslotte ook goed voor Louise's baby Tessa. Dat arme kind had nog amper buitenlucht gekregen sinds haar geboorte enkele maanden geleden.

"Daar heb ik helemaal geen zin in," zei Louise echter zodra Michelle een voorstel in die richting deed. "Ik had me juist zo verheugd op een hele middag oeverloos kletsen en lekker niks doen."

"Alsof we buiten niet kunnen kletsen," protesteerde Michelle. "We zouden naar het park kunnen gaan en daar op het terras van het paviljoen wat drinken."

"Het is nog veel te koud om stil te zitten," wist Louise. "Geloof me, ik kom net van buiten. Achter glas lijkt het lekker, maar het valt behoorlijk tegen."

"Je hebt zes passen nodig om van jouw huis naar het mijne te komen, dat telt niet mee," lachte Michelle terwijl ze twee bekers thee inschonk.

"Ja, wat is dat toch fijn, hè?" ging Louise op die opmerking in, daarmee handig van gespreksonderwerp veranderend. "Het lot heeft ons echt weer samengebracht toen jullie dit huis kochten."

"Ik wist niet wat ik zag toen ik jou in je tuin ontwaarde tijdens onze verhuizing," herinnerde Michelle zich.

Met een glimlach om haar mond dacht ze aan die dag terug. Louise en zij hadden als kinderen in dezelfde straat gewoond en waren van kleins af aan vriendinnetjes geweest. Op haar zestiende was Louise echter verhuisd en ondanks de vele tranen bij het afscheid en de belofte elkaar te blijven zien was het contact in de maanden daarna verwaterd en uiteindelijk helemaal verbroken. Het was voor beiden dan ook een zeer aangename verrassing geweest dat Louise en Dave in de straat bleken te wonen waar Ruben en Michelle een huis hadden gekocht. De vriendschapsbanden werden meteen weer aangetrokken en het leek net of die tussenliggende jaren er niet waren geweest. Ook de geboorte van Tessa had hun band niet minder hecht gemaakt.

Michelle zette de thee op tafel en pakte Tessa uit Louise's armen. "Wat ben je toch een heerlijk schatje," zei ze innig tegen de baby. Tessa staarde haar met grote ogen aan, daarna brak er een brede lach door op het kleine gezichtje. "Ze kent me al," ontdekte Michelle verheugd.

"Natuurlijk. Dat kind ziet jou vaker dan haar eigen tantes," grijnsde Louise. Ze nam plaats op de hoek van de bank, met haar benen onder zich getrokken. "Staat je goed trouwens, zo'n baby op je arm. Nog geen plannen in die richting?"

"Als het aan mij ligt wel," bekende Michelle. "Maar ja, daar moet je toch met zijn tweeën voor zijn en Ruben heeft nog niet echt aspiraties om vader te worden. Hij wil wel kinderen, alleen schuift hij het een beetje op de lange baan."

"Jullie zijn ook nog jong genoeg," meende Louise.

"Ja mam." Michelle lachte. "Dat is het probleem ook niet. Ik ben net dertig en mijn biologische klok staat nog niet op springen, maar toch... Zo langzamerhand ben ik wel toe aan de volgende stap binnen onze relatie."

"En Ruben niet?"

"Dat idee krijg ik in ieder geval niet. Hij vindt het allemaal prima zoals het nu gaat. Dat is ook zo natuurlijk, we hebben absoluut niets te klagen," voegde Michelle daar haastig aan toe. Ze wilde zeker niet overkomen als een oude zeur. "Ons leven bevalt ons uitstekend zoals het is."

"Maar je wilt meer," begreep Louise. "Daar hoef je je niet voor te schamen, hoor, dat mag je gerust zeggen. Jij bent toe aan een huwelijk en aan kinderen."

Michelle knikte. "Ja. We zijn nu al zo lang samen dat het vrijblijvende er wel eens vanaf mag."

"Zeg dat tegen hem," meende Louise laconiek.

"Dat klinkt zo wanhopig."

Louise trok haar wenkbrauwen hoog op. "Je bent je er van bewust dat dit het jaar tweeduizendenelf is, toch? De tijd dat een vrouw wanhopig af moet wachten tot het de man behaagt haar te huwen is al even voorbij."

Michelle schoot in de lach. "Oké, je hebt gelijk, toch vind ik dat een dergelijke stap van de man uit moet gaan. Vraag me niet waarom."

"Waarom?" vroeg Louise daarop.

Terwijl ze met haar ene arm Tessa goed vasthield, gooide Michelle met haar andere arm een kussen naar Louise's hoofd.

"Daarom. Nou, gaan we nog naar buiten of niet?"

"Geen zin," zei Louise voor de tweede keer met een blik op de klok. "Tessa moet trouwens zo haar voeding hebben, dus het is de moeite niet."

"Dat arme kind van jou krijgt veel te weinig buitenlucht omdat haar moeder zo lui is."

"Klopt," knikte Louise, totaal niet beledigd. "Maar dat geeft niet hoor, dat is een kwestie van wennen." Ze rekte zich ongegeneerd uit en stond daarna op om Tessa's fles in de magnetron te zetten. Op dat moment weerklonk de bel door het huis.

Michelle keek verbaasd op. "Wie is dat nu weer? Ik hoop niet dat het Carla is, daar heb ik eerlijk gezegd helemaal geen zin in. Als zij het is gaan we alsnog naar buiten, oké?" bedong ze bij Louise terwijl ze naar de hal liep. Carla Verdoorn was hun directe buurvrouw. Een jonge, hartelijke vrouw met wie Michelle in contact was gekomen toen Carla haar tijdens de verhuizing spontaan haar hulp had aangeboden. Michelle had die hulp geaccepteerd, maar daar naderhand wel eens spijt van gehad, want Carla drong zich sinds die tijd behoorlijk aan haar op. Te pas en te onpas stond ze op de stoep, vooral in de weekenden. En hoe graag Michelle haar ook mocht, daar had ze niet altijd behoefte aan. Carla was nu eenmaal geen Louise. Met haar kon ze lezen en schrijven en Louise was haar dan ook nooit teveel, in tegenstelling tot haar directe buurvrouw.

Het was echter niet Carla die voor de deur stond, maar een vreemde man in een donker uniform. Zodra Michelle de deur opende pakte hij zijn pet van zijn hoofd af en hield hem tegen zijn borst. Langs de stoeprand achter hem ontwaarde Michelle een lange, glanzende, witte limousine.

"Mevrouw Poortman?" vroeg de man beleefd.

Michelle knikte stom. Wat was dit in vredesnaam? Ze had de man al willen vertellen dat hij vast verkeerd was, maar hij noemde toch echt háár naam.

"Ik ben Arie, uw chauffeur voor vandaag. Mag ik u verzoeken met mij mee te gaan?" De man maakte een uitnodigend gebaar naar de limousine.

"Wat is er aan de hand?" vroeg Louise nieuwsgierig. "Wauw Mich, wat een schitterende auto. Wat doet die hier?"

"Hij wil dat ik meega," zei Michelle nog steeds beduusd.

"Echt?" Louise's ogen begonnen te schitteren. "Geweldig. Wat spannend allemaal. Ik ben benieuwd waar hij je heen brengt."

"Je denkt toch niet dat ik werkelijk bij een wildvreemde in de auto stap?" Michelle maakte een veelzeggend gebaar met haar elleboog.

"Waarom niet? Deze auto is van een gerenommeerd bedrijf." Louise wees naar het logo op de zijkant. "Waarschijnlijk heb je een prijs gewonnen of zo. Joh, ga nou gewoon. Wat kan je gebeuren?"

"Van alles," zei Michelle wantrouwend. "Ik wil eerst graag weten waar we naar toe gaan," wendde ze zich tot de chauffeur.

"Het spijt me, mevrouw, dat mag ik niet zeggen," antwoordde Arie vormelijk.

"Dan ga ik niet mee."

"Natuurlijk wel," zei Louise beslist. Ze nam Tessa van Michelle over. "Weet je wat? Jij gaat je even omkleden en opknappen, dan bel ik dat bedrijf waar die limousine vandaan komt om te checken of alles in orde is." Met zachte dwang duwde ze Michelle in de richting van de trap.

Met gemengde gevoelens verwisselde Michelle haar oude spijkerbroek voor een rode jurk met bijpassende pumps. Ze had geen idee wat hier de bedoeling van was, maar als ze dan toch in een limousine vervoerd werd, dan was ze daar graag op gekleed. Een kwartier later kwam ze weer beneden. Arie had inmiddels weer plaats genomen achter het stuur, hij stapte echter direct uit de wagen op het moment dat hij Michelle in het vizier kreeg.

"Ik heb gebeld, alles is in orde," stelde Louise haar gerust.

"Waar is het voor dan?" vroeg Michelle gespannen.

"Dat mochten ze niet zeggen, maar er is daadwerkelijk een opdracht bij hen binnen gekomen om jou op te halen. Van een vertrouwde klant, werd me verzekerd."

"Ik weet het niet, hoor. Wie doet er nu zoiets?" aarzelde Michelle nog.

"Daar kom je nooit achter als je nu niet instapt. Kom op, Michelle. Je moet mee, al is het alleen maar om mij straks te kunnen vertellen wat hier achter steekt. Ik ben razend nieuwsgierig," beweerde Louise.

"Oké dan," hakte Michelle de knoop door.

Er verscheen een brede grijns op het gezicht van Arie. De knipoog die hij met Louise wisselde ontging Michelle. Als een prinses liet ze zich in de limo helpen, ze begon er zowaar plezier in te krijgen. Door de getinte ruit zag ze Carla uit haar autootje stappen. Michelle moest lachen om het verbaasde gezicht van haar buurvrouw. Carla kennende zou die Louise nu overstelpen met vragen. Lekker onderuitgezakt in de comfortabele kussens vroeg ze zich af waar ze heen gebracht werd. Er was werkelijk niets wat ze kon verzinnen. Ze was niet jarig, ze vierde geen jubileum en voor zover zij wist had ze aan geen enkele prijsvraag meegedaan, dus een prijs kon ze ook niet gewonnen hebben. Ze diepte haar mobiel op uit haar tas en toetste het nummer van Ruben in, maar zoals ze al verwacht had werd haar oproep overgeschakeld naar zijn voice mail. Hij had zijn telefoon altijd uitstaan als hij aan het bowlen was. Samen met enkele vrienden van hem deed hij mee aan de provinciale competitie, daar was hij erg fanatiek in.

De rit duurde iets meer dan een kwartier. Michelle zag dat ze de richting van de kust op reden. Ruben en zij kwamen graag op het strand. Met mooi weer zwommen ze in zee om zich vervolgens door de zon op te laten drogen, als het hard waaide maakten ze lange strandwandelingen. Jammer dat Ruben er niet bij was, mijmerde ze. Met zijn tweeën waren dergelijke verrassingen altijd veel leuker. Hoewel ze zich afvroeg of Ruben, als hij thuis was geweest, mee had gemogen van Arie. Louise mocht ook niet mee, het was echt om haarzelf te doen geweest. Maar waarom? Ze stond langzamerhand op knappen van nieuwsgierigheid, maar ze kon niets anders doen dan afwachten wat deze zondag haar zou brengen.

Eindelijk, voor haar gevoel na uren, stopte de limousine op een parkeerplaats aan de boulevard. Michelle schoot hardop in de lach toen een als Mickey Mouse verklede man, of vrouw, het portier van de wagen openmaakte en na een korte buiging haar gebaarde hem te volgen. Hij leidde haar naar een groot, luxe hotel, waar zijn rol van begeleider werd overgenomen door Donald Duck. Dit werd steeds vreemder. In plaats van het hotel in te gaan, liepen ze over het terras naar de achterkant, de uitgestrekte tuin in. En daar zag Michelle eindelijk wat de bedoeling was. In het prieeltje, wat versierd was met rozen, stond Ruben haar op te wachten, gekleed in smoking en met een rode roos in zijn handen. In één klap begreep ze wat hij op het punt stond te gaan doen en de tranen van ontroering sprongen in haar ogen.

"Ruben…," begon ze.

"Sst." Hij legde zijn vinger teder op haar lippen, haar zo beduidend niets te zeggen. "Jij mag zo, eerst ben ik aan de beurt. Lieve Michelle, ik ben blij dat je hier bent. Ik eh… Nou ja, je weet…"
Weer stokte hij en Michelle kon een glimlach niet onderdrukken. Als Ruben geagiteerd was kon hij altijd moeilijk uit zijn woorden komen. "Hè verdorie," viel hij uit zijn rol. "Ik had hier zo lang op gerepeteerd en nu lukt het niet. Je weet dat redevoeringen houden niet mijn sterkste kant is, maar ik wil je iets vragen." Plotseling zakte hij op één knie terwijl hij een klein doosje uit de binnenzak van zijn smokingjasje haalde. Michelle hield haar adem in bij dit grote moment. Het moment waar ze al heel lang van droomde.
"Michelle, ik hou van je. Wil je met me trouwen?" vroeg Ruben nu simpel.

"Ja, natuurlijk!" Haar antwoord klonk juichend en zonder enige aarzeling. "O Ruben, ik wil niets liever. En dit was de mooiste speech die je ooit gehouden hebt."

"Nou…" Hij trok een grimas. "Vanochtend voor de spiegel klonk het veel beter."

"Onmogelijk," verzekerde Michelle hem.

Ze kusten elkaar uitgebreid voordat hij de smalle, gouden ring die bezet was met drie diamantjes, om haar vinger schoof.

"Ik hoop dat je hem mooi vindt," zei hij zacht.

"Hij is prachtig. Trouwens, al was het de ring van een colablikje geweest, dan had ik hem nog mooi gevonden."

"Had dat maar eerder gezegd," zei hij met pretlichtjes in zijn ogen.

Weer kusten ze elkaar. Michelle had het gevoel of ze droomde. Amper een uur geleden had ze nog tegen Louise gezegd dat Ruben nog niet klaar was voor de volgende stap binnen hun relatie, herinnerde ze zich met een glimlach. Daar had ze zich dus behoorlijk in vergist. Ze zei het tegen Ruben, waarna hij begon te lachen.

"Louise zat in het complot," verried hij. "Zij was speciaal bij jou om je over te halen die limousine in te stappen, want ik was bang dat je zou weigeren."

"Dat wilde ik ook, ze heeft echt moeite moeten doen om me met Arie mee te krijgen," grinnikte Michelle. "Ik wist niet dat ze zo goed toneel kon spelen. Volgens mij was ze net zo verbaasd als ik. Ze drong er zelfs op aan dat ik haar vanavond moet vertellen wat de bedoeling was. Daarom wilde ze dus niet naar het park. Ze zat te klagen dat het te koud was om naar buiten te gaan."

"Waar ze overigens wel een beetje gelijk in had," meende Ruben. "Dineren doen we daarom binnen, hier in het restaurant van dit hotel."

"En Mickey en Donald?" informeerde Michelle. Ze keek naar de twee Disneyfiguren, die een aantal meters verderop nog stonden, samen met Arie. "Wat hebben die met je aanzoek te maken? Zeg me niet dat ze onze getuigen zijn."

"Waarom niet? Jij houdt toch zo van Disney?" plaagde Ruben haar. "Dat leek me wel leuk. Een extra cachet aan onze trouwdag."

"Zolang ik maar niet in een Minne Mouse jurk hoef te trouwen." Ruben schudde zijn hoofd. "Normaal gesproken ben je spitsvondiger, schat. Ik was eigenlijk bang dat je het al zou raden zodra je ze zag. Mickey en Donald zijn hier ter illustratie van onze huwelijksreis."

"We gaan dus naar Disneyland Parijs?" begreep Michelle. Ze kon niet verhinderen dat haar stem een tikje teleurgesteld klonk, al deed ze haar best dat te verbloemen. Een reisje naar Disneyland vond ze altijd leuk, het was inderdaad één van haar favoriete vakantiebestemmingen, maar ze waren er al een paar keer geweest. Voor haar huwelijksreis had ze toch wel iets exclusievers in gedachten.

"Bijna goed," zei Ruben echter terwijl hij haar handen vastpakte en haar diep in haar ogen keek. "Iets verder." Hij wachtte even om de spanning op te voeren. "We gaan naar Walt Disney World in Orlando."

"Echt waar?" Michelle's ogen werden groot van verbazing, daarna begon ze te stralen. "Het echte Disney? Ruben, dat is fantastisch!" Uitgelaten viel ze hem om zijn hals. "Daar droom ik al jaren van!"

"Alsof ik dat niet weet," zei hij tevreden, blij dat zijn verrassing zo goed geslaagd was.

Met de armen om elkaar heen geslagen liepen ze naar Mickey,

Donald en Arie, die uitgebreid bedankt werden voor hun medewerking aan deze voor Michelle zo bijzondere dag. Arie overhandigde Ruben zijn fotocamera. Michelle had niet eens gemerkt dat hij foto's van hen had gemaakt, maar ze was er dolblij mee. Daarna was het tijd voor hun diner. Ruben had een tafeltje in een afgeschermd hoekje van het restaurant gereserveerd, zodat ze voldoende privacy hadden. Michelle was blij dat ze haar rode jurk had aangetrokken en ze niet in haar spijkerbroek in deze luxe entourage zat.

Het eten was voortreffelijk, toch proefde ze amper wat ze at. Haar hoofd zat vol met alles wat er zo onverwachts was gebeurd en het was nog steeds net of ze droomde. Onder het tafelblad kneep ze zichzelf stiekem in haar arm, om zich ervan te overtuigen dat het allemaal realiteit was. Ze zat echt hier in dit dure restaurant van het meest chique hotel van hun stad, als de kersverse verloofde van Ruben.

"Waarom eigenlijk?" vroeg ze ineens. "Je hebt al die tijd de boot afgehouden en op subtiele wenken van mij in de richting van een huwelijk reageerde je nooit."

"Omdat ik van je houd," antwoordde Ruben simpel.

"Dat doen we al jaren. Hoe komt het dat je ineens van gedachten bent veranderd?"

"Dat is niet op stel en sprong gebeurd, ik dacht er al een tijdje aan. Het trouwboekje op zich hoeft voor mij niet zo nodig, dat weet je. Ik kan inderdaad uitstekend van je houden zonder dat het vastgelegd moet worden. Voor onze kinderen lijkt het me echter prettiger als mama en papa wettig getrouwd zijn," zei hij.

Voor de tweede keer die dag hield Michelle met een scherp geluid haar adem in.

"Kin... Kinderen?" stotterde ze.

Ruben knikte onverstoorbaar. "Minstens twee, als het even kan. En dan het liefst natuurlijk een jongen en een meisje, al maakt het me eigenlijk niet uit. Als ze maar op jou lijken."

Michelle dacht dat ze uit elkaar zou knappen van geluk. Alles waar ze de laatste tijd stiekem van droomde, leek ineens uit te komen. Ze vroeg zich af of het leven ooit nog mooier kon worden dan nu het geval was.

Ja, dacht ze toen. Waarschijnlijk wel. Als ze een kind van Ruben en haar in haar armen zou houden. Dan was het leven echt helemaal volmaakt. Al scheelde het nu ook niet veel.

HOOFDSTUK 2

"Dus Michelle en Ruben gaan trouwen? Het werd ook wel eens tijd. Ze wonen al zo lang samen. Ik vind dat toch iets triests hebben, alsof ze zich niet echt durven te binden. Wel de lusten, niet de lasten." Beatrice Galema, de moeder van Dave, kneep haar lippen samen tot een dunne streep terwijl ze afkeurend haar hoofd schudde.

Louise zuchtte onmerkbaar. Haar schoonmoeder had uitgesproken ideeën over wat wel en niet fatsoenlijk was. Jammer genoeg was ze daarbij ergens halverwege de vorige eeuw blijven steken.

"Veel verschil zit er niet tussen samenwonen of getrouwd zijn," zei ze. "Alleen dat ene papiertje."

"Daar draait het juist om. Dat is het bewijs dat je voor elkaar gekozen hebt," beweerde Beatrice terwijl ze kleine Tessa van Louise overnam. "Het teken dat je verantwoordelijkheden niet uit de weg gaat. Enfin, ik neem aan dat jij en Dave de catering van de bruiloft verzorgen?"

Louise schudde haar hoofd. "Nee, daar hebben we het wel over gehad, maar Michelle vindt het prettiger als Dave en ik gewoon als vrienden op hun bruiloft zijn in plaats van als medewerkers."

"Hm." Weer drukte Beatrice haar smalle lippen op elkaar, een gebaar wat Louise langzamerhand was gaan haten. "Dan boort ze jullie dus wel een leuke opdracht en inkomsten door de neus. Van je vrienden moet je het hebben."

"Dave en ik zitten gelukkig niet verlegen om opdrachten, we hebben het druk genoeg," zei Louise kalm. De discussie aangaan met haar schoonmoeder had weinig nut, wist ze bij voorbaat. Dat had de ervaring haar wel geleerd. Als Beatrice ergens een mening over had, konden geen tien paarden haar daar vanaf krijgen. "Zo druk dat ik nu snel naar beneden ga," vervolgde ze dan ook. Ze kietelde Tessa onder haar kinnetje en plantte een zoen op haar voorhoofd. "Dag lieverd, lief zijn voor oma."

Haastig liep ze naar de benedenverdieping van het grote huis wat ze bewoonden. Van oorsprong waren het twee woningen geweest, die ooit bij elkaar gevoegd waren. Zo was er een enorme ruimte ontstaan die Louise en Dave in staat hadden gesteld hun bedrijf bij hun huis te betrekken. Hun cateringbedrijf besloeg de gehele begane grond. Ze hadden er een grote, professionele keuken in laten installeren, er was een ruim kantoor en een ontvangstkamer voor potentiële klanten, waar ze konden proeven wat voor heerlijkheden er werden bereid. Dave zorgde voornamelijk voor de zakelijke kant terwijl Louise met twee medewerkers de keuken bemande. Op de eerste verdieping woonden ze zelf, de tweede verdieping werd sinds enige tijd bewoond door Beatrice. Dat had de perfecte oplossing geleken toen zij stopte met werken en Louise in verwachting bleek te zijn. Beatrice was maar al te graag bereid geweest om op haar kleinkind te passen en ze regelde en passant ook het huishouden, zodat Louise daar weinig omkijken naar had. Praktisch gezien was dit een ideale situatie, al zou het gezelliger zijn geweest als haar schoonmoeder wat minder zuur en verbitterd zou zijn, dacht Louise vaak bij zichzelf. Ze moest echter toegeven dat Beatrice zich niet opdrong. Als Louise thuis was, ging ze naar haar eigen verdieping en ze kwam nooit zomaar bij hen binnen vallen. Helaas bemoeide ze zich wel overal mee. Eenmaal in de keuken zette Louise alle gedachten aan Beatrice van zich af om haar aandacht op haar werk te richten. Dave had zich al teruggetrokken in zijn kantoor om de administratie te doen. Door de glazen deur wierp ze hem een kushandje toe voor ze zich tot haar twee medewerkers wendde.

"Hoe ver zijn jullie voor die receptie van vanmiddag?"

"Bijna klaar," antwoordde Linda. "Over een half uurtje kan alles de oven in."

Cees, gespecialiseerd in gebak en desserts, knikte. "De taarten zijn al gebakken, die ga ik zo versieren."

"Jullie zijn geweldig," prees Louise hen lachend.

"Daar moet je aan denken als je onze salarissen overmaakt," grinnikte Linda. "Koffie?" Ze hield de pot met een uitnodigend gebaar omhoog.

"Graag. We moeten zo even de opdrachten voor morgen en overmorgen doornemen, dan kan ik aan Dave doorgeven wat hij precies moet bestellen. Om een uur of één ga ik weg."

"Trouwjurken passen met je vriendin, toch?" herinnerde Linda zich.

Louise knikte. Michelle had haar op de avond van het aanzoek al gebeld om te vragen of ze haar wilde helpen met haar zoektocht naar een jurk en daar had ze gretig in toegestemd. Dergelijke dingen vond ze heerlijk. Sowieso was het gezellig om met Michelle de stad in te gaan, zeker omdat ze niet aangewezen waren op de drukke zaterdagen. Michelle runde haar eigen internetwinkel in make-up en verzorgingsproducten, dus ze bepaalde haar eigen werktijden. Dankzij Linda, Cees en niet te vergeten Beatrice had Louise ook een grote mate van vrijheid. Ze mopperde wel eens op haar bemoeizuchtige schoonmoeder, maar ze moest toegeven dat haar leven een stuk hectischer en ingewikkelder zou zijn zonder haar aanwezigheid. In Beatrice had ze een huishoudster en oppas in één, die bovendien niet eens betaald wilde worden voor haar diensten. Het feit dat ze gratis woonde vond ze meer dan genoeg betaling.

"We zijn bevoorrechte vrouwen," sprak ze dan ook op plechtige toon toen zij en Michelle voorafgaand aan hun winkeltocht van een lichte lunch genoten in een klein restaurantje in de binnenstad.

Michelle knikte instemmend. "Dat is zeker waar," zei ze ernstig. "Daar staan we niet altijd bij stil, dat kan ook niet, maar we hebben het inderdaad heel goed. Jij en Dave met jullie kleine Tessa, ik met Ruben. We hebben allemaal werk wat we graag doen en wat ook nog eens leuk betaalt en, nog wel het belangrijkste van alles, we zijn gezond. Daar bovenop heb jij Beatrice ook nog eens. Niet altijd de makkelijkste, maar ze neemt je wel enorm veel uit handen."

"Op haar humeur na is Beatrice een parel," grinnikte Louise. "Zonder haar had ik hier nu niet gezeten. Of ik had Tessa mee moeten nemen in de kinderwagen en dat is niet het handigste als je winkelt."

"Maar toch wel leuk," mijmerde Michelle. "Het is zo'n heerlijk, zonnig kindje. Ik kan alleen maar hopen dat een dergelijk geluk ook voor ons weggelegd is."

"Vast wel. Jullie hebben toch geen problemen op dat gebied?" informeerde Louise bezorgd.

"Nee, niet voor zover we weten. Maar goed, daar kom je natuurlijk pas achter als het echt gaat spelen, dus we zullen het af moeten wachten."

"Ik zou me daar op voorhand geen zorgen over maken."

"Dat doe ik ook niet, maar ik ben momenteel zo gelukkig dat ik me wel eens afvraag waar dat eindigt," bekende Michelle. Ze verfrommelde haar servet en plukte er kleine stukjes van af. Ze keek haar vriendin niet aan, maar hield haar blik strak op haar handen gericht. "Soms vliegt dat me wel eens aan. Waar heb ik dat allemaal aan verdiend, denk ik dan. Een baby zou nog eens een extra bekroning zijn. De kers op de taart, om het maar eens oneerbiedig te zeggen. Tegelijkertijd houd ik mezelf voor dat ik niet teveel moet verlangen van het leven. Ik heb al zoveel."

"Misschien heb je dat allemaal wel verdiend," merkte Louise hartelijk op. "Zo makkelijk is je jeugd niet geweest, bovendien heb je allebei je ouders jong verloren. Ondanks dat ben je altijd sterk en optimistisch gebleven en voor die houding word je nu beloond."

Michelle schoot hardop in de lach. "Dat klinkt wel heel gemakkelijk. Zo simpel is het niet, vrees ik. Ruben en ik zullen ongetwijfeld ook nog wel het nodige aan verdriet en tegenslag op ons bordje krijgen, zoals iedereen. Dat hoort nu eenmaal bij het leven. Op dit moment zitten we in een opwaartse spiraal, maar we zullen ook wel eens naar beneden duikelen."

"Daar moet je niet bij stilstaan, dat zie je vanzelf wel als het op je weg komt. Op dat moment is het vroeg genoeg om je zorgen te maken," zei Louise verstandig.

Michelle hief haar koffiekopje naar haar op. "Je hebt helemaal gelijk, daar drinken we op."

"Met koffie? Pover hoor. Ik mag toch hopen dat ik aan het eind van de middag iets sterkers te drinken krijg van je als we geslaagd zijn voor je trouwjurk."

"Je lijkt Carla wel, die kan volgens mij geen dag zonder drank," lachte Michelle.

"Je overdrijft. Carla is een tikje losbandig, maar het is een leuke, hartelijk meid waar je van op aan kunt als het nodig is," wees Louise haar terecht.

"Ze had vannacht weer een man mee naar huis genomen," vertelde Michelle. "Ene Jasper."

"Heeft ze hem aan je voorgesteld?"

"Nee." Michelle trok een grimas. "Ik hoorde haar door de muur heen zijn naam schreeuwen."

Louise schoot in de lach en verslikte zich daarbij in haar koffie. Een enorme hoestbui volgde en ze moest de tranen uit haar ogen vegen.

"Daar hoef je niet om te huilen," plaagde Michelle haar.

"Carla is volwassen, ze mag zelf weten wat ze doet, maar ondanks haar houding van lang-leve-de-lol zou ik niet met haar willen ruilen. Dat oppervlakkige leventje is leuk als je tegen de twintig loopt, maar op een gegeven moment wordt het een beetje zielig, vind ik. Ze dartelt door het leven heen, versiert de ene man na de andere en is ieder weekend aan het feesten. Haar werk doet ze alleen uit noodzaak, leuk vindt ze het niet. Ik heb haar vaker gezegd dat ze beter op zoek kan gaan naar iets waar ze plezier in heeft en waar ze voldoening uit haalt, maar dan haalt ze haar schouders op en beweert ze dat deze baan te goed betaalt om te laten schieten," vertelde Louise. "Voor iemand van vijfendertig vind ik dat wel erg gemakzuchtig geredeneerd."

"Dat is haar eigen keus, maar ik ben blij dat ik drie jaar geleden de stap heb genomen om voor mezelf te beginnen," beweerde Michelle terwijl ze de serveerster wenkte om de rekening. "Het eerste jaar was financieel moeilijk, nu begint het steeds beter te lopen. Op sommige dagen kan ik de bestellingen amper aan. Ik wilde jou trouwens vragen of jij dat twee weken van me over wilt nemen als ik op huwelijksreis ben. Dan zorg ik ervoor dat er voldoende voorraad van alles is en hoef je alleen de bestellingen te verwerken en op te sturen."

"Is goed," beloofde Louise.

Ze deed dat wel vaker als Michelle op vakantie was en over het algemeen verliep dat zonder problemen. Tijdens hele drukke periodes sprong ze ook wel eens bij in het bedrijfje van haar vriendin. Michelle had de zolderverdieping van hun huis ingericht als bedrijfsruimte, die was ruim genoeg om een behoorlijke voorraad te bergen. De webwinkel 'BelleMichelle' deed goede zaken en omdat ze vanuit huis werkte had Michelle weinig kosten.

"Zullen we gaan?" stelde Louise voor. "Een trouwjurk uitzoeken doe je nu eenmaal niet in een uurtje en het is al half twee geweest."

Michelle had via internet al een paar geschikte winkels opgezocht, dus ze stevenden rechtstreeks op de eerste af. Hoewel het een betrekkelijk kleine zaak was, was de keuze enorm. Jurken in allerlei modellen, kleuren en maten hingen keurig gerangschikt aan de rekken. Een jonge verkoopster schoot toe om haar hulp aan te bieden.

"Ik denk dat ik precies heb wat u zoekt," zei ze nadat Michelle haar wensen kenbaar had gemaakt.

Ze liep naar een rek en haalde er een jurk uit die Michelle haar adem benam. Het was een recht, strapless model met een rok die aan de onderkant iets uitliep, in gebroken wit. Het bovenlijfje en de split aan de voorkant waren afgezet met kleine, glinsterende pareltjes.

"Perfect," verzuchtte Michelle. Ze was op slag verliefd. De jurk paste haar alsof hij voor haar gemaakt was en stond haar fantastisch. "Ik heb niet eens een uur nodig," zei ze dan ook tegen Louise. "Dit wordt hem."

"Mooi, des te eerder kunnen we aan de wijn," zei die onverstoorbaar. "Weet je heel zeker dat je niet verder wilt zoeken?"

"Waarom zou ik dat doen? Ik zie er het nut niet van in om zestien winkels af te struinen om vervolgens alsnog voor de eerste te gaan," meende Michelle nuchter. "Deze jurk is geweldig."

Met behulp van de verkoopster kocht ze er meteen de juiste lingerie, schoenen en een bijpassende haarversiering bij. Van sluiers of hoeden hield ze niet, maar het piepkleine hoedje met parels en veren paste zo goed bij de jurk dat ze direct overstag ging.

Binnen een uur na aankomst stonden ze alweer buiten, met de aankopen zorgvuldig in tassen gepakt. Michelle straalde.

"Dit is een goed voorteken," zei ze. "Wedden dat mijn trouwdag niet stuk kan?"

Het werd inderdaad een dag om nooit te vergeten voor Michelle en Ruben. Het had de hele week geregend, maar op hun trouwdag stond de zon hoog aan de hemel.

"Alweer een goed voorteken," zei Michelle terwijl ze die ochtend uit het raam keek.

"Ik heb geen goede voortekens nodig om ervan overtuigd te zijn dat wij een lang, gelukkig leven tegemoet gaan," zei Ruben daarop terwijl hij haar in zijn armen nam.

"Maar ze helpen wel mee," grijnsde ze.

Met een taxi reden ze naar het stadhuis, waar alle genodigden hen opwachtten. De traditionele gebruiken, zoals de nacht voor het huwelijk apart slapen en de bruidegom die zijn bruid op komt halen, had Michelle resoluut van de hand gewezen. Ze hield niet van al die poespas en was te nuchter om zich helemaal te verliezen in maandenlange voorbereidingen voor slechts één dag. Ook de receptie sloegen ze daarom over. Hun familieleden en beste vrienden waren uitgenodigd om de plechtigheid bij te wonen en daarna samen het diner te gebruiken. Voor de avond hadden ze een zaaltje inclusief catering gehuurd plus een band voor de muzikale omlijsting. Voor dit feest hadden ze ook kennissen en collega's van Ruben uitgenodigd.

Michelle wist zich in het stadhuis omringd door alle mensen die ze liefhad en dat gaf voor haar een extra dimensie aan de plechtigheid. Twijfels had ze niet. Ze was volkomen zeker van Ruben, al jaren. Hij ontsteeg het niveau van een leuk vriendje, waar ze er ook meerdere van had gehad. Haar jawoord klonk dan ook luid en krachtig door de zaal, evenals dat van Ruben.

"Dan verklaar ik u hierbij man en vrouw," zei de ambtenaar van de burgerlijke stand op formele toon. Het waren de mooiste woorden die Michelle ooit had gehoord. "U mag de bruid kussen," voegde de man aan zijn woorden toe.

Die aansporing had het kersverse echtpaar Grosman-Poortman echter niet nodig. Ten overstaan van al hun gasten nam Ruben

Michelle in zijn armen voor een lange kus, die begeleid werd door gejuich en applaus.

"Ben je gelukkig?" vroeg hij zacht.

"Gelukkiger dan ik ooit geweest ben," was haar welgemeende antwoord.

Hoewel ze al een paar jaar samenwoonden, gaf het feit dat ze nu officieel getrouwd waren haar toch een ander gevoel. Echter. Ze vormden nu samen een geheel. Een gezin, ook al waren er nog geen kinderen. Ze hoopte van harte dat die niet lang meer op zich zouden laten wachten. Ruben en zij hadden afgesproken dat ze met het gebruik van voorbehoedsmiddelen zouden stoppen zodra ze terug waren van hun huwelijksreis. Wellicht zou ze dan over een jaar, op hun eerste trouwdag, hun kind in haar armen houden, mijmerde Michelle stilletjes.

Veel kans om daar verder over na te denken kreeg ze niet, want hun familieleden en vrienden verdrongen zich om hen te feliciteren.

Het feest werd die avond druk bezocht. De band die ze in hadden gehuurd, had de stemming er al snel in. Bijna iedereen was op de dansvloer te vinden, zag Michelle verheugd. De leadzangeres vulde de zaal met haar diepe stem en ze wist de voeten goed van de vloer te krijgen.

"Geweldig feest," schreeuwde Michelle's nicht Patricia boven de harde muziek uit. "Ik heb zelfs Menno de dansvloer op gekregen."

"En dat wil wat zeggen," grinnikte Michelle. Ze nam een glas wijn van het dienblad van een serveerster af en dronk er met gretige teugen van. Het was warm in de zaal, dus de drank vloeide rijkelijk, ook bij haarzelf. "Waar heb je Bas en Tim gelaten vanavond?"

"Bij mijn schoonouders. Ze blijven daar vannacht slapen," vertelde Patricia. "Even rust voor ons dus. Met die aanstaande verhuizing zijn ze door het dolle heen. Het is een zooitje bij ons thuis momenteel. We hebben al zoveel mogelijk ingepakt, dus het is afzien nu."

"Wanneer gaan jullie precies over?" vroeg Michelle geïnteresseerd.

"Over twee weken."

"Dan zijn we nog net niet terug. Jammer zeg, dan kunnen we niet helpen," zei Michelle op een toon die verried dat ze dat niet zo'n erg groot probleem vond.

"Volgens mij hebben jullie dat expres zo uitgekiend," verweet Patricia haar lachend. "Je komt na je vakantie toch wel snel kijken, hè? Het is echt een geweldig huis. Het enige nadeel vind ik dat de wijk nog in aanbouw is, dus voorlopig wonen we tussen het zand en in de herrie, maar het huis maakt veel goed. Het is twee keer zo groot als we nu hebben, er zit een garage aan vast en we krijgen een hele grote tuin."

"Klinkt goed. Als we terug zijn maken we snel een afspraak," beloofde Michelle. "Ik wil dat paleisje ook wel eens bewonderen."

Hun gesprek werd onderbroken door Ruben, die zijn nieuwe vrouw kwam halen om te dansen.

"De dag is bijna om," zei hij.

"Ja, jammer. Ik zou nog uren zo door kunnen dansen met jou."

"Schat, we gaan de rest van ons leven dansen. Figuurlijk gesproken dan," zei Ruben haastig. Hij hield helemaal niet van dansen

en was slechts zelden te bewegen met haar de dansvloer te betre-
den, ongeacht welke muziek er gespeeld werd.

"Dat laatste had je er nou niet bij moeten zeggen," plaagde Michelle hem. Ze sloeg haar armen wat steviger om zijn hals en
drukte haar lichaam tegen het zijne aan.

"Deze dag is dan wel bijna om, maar we hebben de nacht nog,"
fluisterde Ruben zacht in haar oor. "En onze huwelijksreis, niet te
vergeten. Over vierentwintig uur zitten we in het vliegtuig."

"Een heerlijk vooruitzicht."

Michelle droomde weg, maar ze schrok op toen ze merkte dat
al hun gasten in een kring om hen heen stonden. Een snelle blik
om zich heen vertelde haar dat zij en Ruben nog de enigen waren
die dansten, alle andere aanwezigen stonden te klappen terwijl de
zangeres van de band een romantisch nummer inzette.

"Tonight I celebrate my love for you," zong ze.

"Vast wel," riep een jolige oom hard door het nummer heen.

Michelle ving de knipoog van Louise op en zwaaide even naar
Carla, die haar glas naar haar omhoog hield. Ze leunde zwaar
tegen een neef van Ruben aan en die zag er niet naar uit alsof hij
dat erg vervelend vond. Carla's nieuwste verovering waarschijnlijk. Michelle vroeg zich af of deze man het langer dan een week
met haar buurvrouw uit zou houden. Maar ach, wat maakte het
uit? Iedereen zocht het geluk op zijn eigen manier. Zij en Ruben
hoefden niet meer te zoeken, ze hadden het al gevonden.

Met haar ogen vast in de zijne zong ze zachtjes de woorden van
het lied mee.

HOOFDSTUK 3

De huwelijksreis van Michelle en Ruben was meer dan fantastisch. Michelle had regelmatig het idee dat ze in een sprookjeswereld was beland. Walt Disney World was zo ontzettend groot en indrukwekkend, ze kon er geen genoeg van krijgen. De vier verschillende parken, de waterparken met hun kilometers lange glijbanen, het shoppingcentrum met de grootste Disneywinkel ter wereld en Celebration, het dorpje wat nagebouwd was uit de jaren vijftig, hadden haar volledig in hun ban. Ze droomde er al jaren van om hier eens naar toe te gaan, maar ze had nooit geweten dat dit zo enorm was. Overweldigend zelfs. Hoewel het de bedoeling was geweest om meer van Amerika te ontdekken, kwamen ze Disney World bijna niet uit. Er was voortdurend iets nieuws te zien en te ontdekken aan shows en tentoonstellingen en het vuurwerk wat iedere avond afgestoken werd, verveelde hen nooit. Het was dan ook met spijt in haar hart en het gevoel dat ze nog steeds niet alles had gezien, dat Michelle na twee fantastische weken afscheid nam.

"Als jong meisje fantaseerde ik natuurlijk over mijn trouwdag en huwelijksreis, maar de werkelijkheid was veel mooier dan ik kon verzinnen," zei ze tegen Ruben op weg naar het vliegveld.

"Het was een belevenis," beaamde hij. "Je moet dit gezien hebben om het te geloven. Eerlijk gezegd heeft het mij nooit zo erg getrokken, maar ik moet zeggen dat ik het niet had willen missen."

"Jammer dat het alweer voorbij is." Michelle zuchtte diep. "Dit was zo'n mooie, unieke periode in ons leven en nu kunnen we er alleen nog maar op terugkijken."

"Er komen nog veel meer mooie periodes voor ons," sprak Ruben bemoedigend. "En deze reis was iets wat we nooit meer zullen vergeten."

"Het was niet mijn bedoeling om te klagen. Integendeel zelfs. Hoe kan een mens ook maar ergens over klagen als je zo bevoorrecht bent dat je dit allemaal mee mag maken?" Ze maakte een weids gebaar met haar arm.

"Dat is ook weer een beetje overdreven," grinnikte Ruben. "Bevoorrecht of niet, ik vrees dat ik over drie dagen toch weer gewoon zit te mopperen in de file."

Het viel niet mee om het gewone leven weer op te pakken na alle indrukken die ze te verwerken hadden gekregen, vooral niet omdat de zomer nu definitief ten einde was en het steeds vroeger donker werd. Michelle had een hekel aan deze periode van het jaar, in de overgang naar de winter. Het was vaak zo nat en guur en het kostte haar altijd moeite om te accepteren dat de mooie, warme dagen weer voor heel lang tot het verleden behoorden. Vooral deze zomer was erg intensief geweest met alle voorbereidingen voor hun bruiloft, de trouwdag zelf en de schitterende reis daarna. De overgang naar koude dagen en donkere avonden met alleen herinneringen om op te teren, was dan ook wel erg groot. Gelukkig had ze het druk met haar werk, zodat de lichte winterdepressie, waar ze vaker last van had, weinig kans had om de kop op te steken. Bovendien was ze bevangen door een prettig gevoel van afwachting nu ze, op de dag van hun terugkomst uit Amerika, met een plechtig gebaar haar anticonceptiepil in de prullenbak had gegooid. De wetenschap dat ze nu iedere dag in verwachting kon raken, gaf een extra dimensie aan hun seksleven.

Ze vernieuwde haar website, wat ze ieder nieuw seizoen deed en zorgde ervoor dat ze voldoende voorraad had van de artikelen die in de winter meer verkocht werden. Haar webwinkel kreeg steeds meer bekendheid en de bestellingen stroomden binnen. In een aparte hoek van haar zolder annex werkruimte had ze een inpaktafel staan waar ze dagelijks alle bestellingen sorteerde en inpakte. Een heerlijk relaxed werkje waar ze altijd de radio hard bij aan had staan. Alle bestellingen werden in witte dozen voorzien van haar logo gedaan. Als extra service maakte ze ook mooie pakketjes van bestellingen die als cadeau bestemd waren. Speciaal daarvoor had ze zilverkleurig inpakpapier met daarop haar logo verspreid, een zwarte roos met een subtiel, rood schaduwrandje en de letters BM van BelleMichelle daar rechts onder in sierlijke letters. Rode, zwarte en zilverkleurige linten en een klein, zwart roosje van satijn maakten het cadeau compleet. Met de feestdagen in het vooruitzicht werden er veel cadeaus besteld en Michelle was dan ook dagelijks een paar uur bezig met het mooi inpakken van haar artikelen. Ze vond het erg belangrijk dat een presentje er representatief uitzag.

Naast haar werkzaamheden was ze bezig met het maken van fotoboeken van hun trouwdag en hun huwelijksreis. Haar oorspronkelijke plan om daar één boek van te maken had ze al snel laten varen bij het terugkijken van alle foto's die er gemaakt waren. Dat waren er zoveel, die pasten onmogelijk in één boek. Het werd dan ook een apart boek van hun trouwdag en twee boeken van de huwelijksreis. Ze had er zelfs wel vier kunnen vullen, zoveel foto's hadden ze. Het kostte heel wat tijd om de mooiste en meest geschikte foto's uit te zoeken en daar op de computer mooie boe-

ken van samen te stellen. Op dergelijke gebieden was Michelle
een perfectionist. Ze was niet snel tevreden met het resultaat wat
haar beeldscherm liet zien en ze bleef veranderen. Ze vond het
echter zo leuk om te doen dat het haar niet hinderde dat het zoveel tijd in beslag nam.

Ook deze avond kroop ze weer genoeglijk achter haar computer.

"Lukt het?" Ruben kwam haar een kop koffie brengen, hij keek
over haar schouder naar het beeldscherm. "Ziet er goed uit."

"Hm, ik ben nog niet helemaal tevreden over deze twee bladzij-
den," mompelde Michelle. Ze klikte een foto weg en verkleinde
een andere.

"Die boeken zijn toch wel klaar voordat we überhaupt vergeten
zijn dat we daar geweest zijn, hè?" informeerde hij lachend terwijl hij een kus op haar hoofd drukte.

"Ik denk dat het vanavond wel afkomt," zei Michelle. "Jij gaat
toch naar de sportschool?"

Ruben knikte. "Ja, met Harry, Michel en Jurgen."

"Jurgen is toch die man waar Carla op onze bruiloft mee aan-
papte?"

"Ja, maar die relatie is alweer verleden tijd."

"Zoals gewoonlijk bij haar." Michelle stond op en omhelsde Ruben. "Ik ben toch blij dat wij uit ander hout gesneden zijn."

"Wij zijn een oud, bezadigd, saai echtpaar," grinnikte Ruben.
"Schat, ik ga. Tot vanavond." Hij kuste haar nog een keer en liep
de zoldertrap af. Net op het moment dat Michelle zich weer verdiept had in haar foto's, ging haar telefoon. Het was Patricia, haar
nichtje. Met een opkomend schuldgevoel herinnerde Michelle
zich dat ze haar op haar bruiloft had beloofd snel naar haar nieu-

we huis te komen kijken. Dat was inmiddels al bijna drie maanden geleden, maar het was er nog steeds niet van gekomen omdat ze het zo druk had gehad.

"Ons huis is inmiddels helemaal klaar, het wordt hoog tijd dat je het komt bewonderen," zei Patricia dan ook. "Vanmiddag zijn de laatste meubels bezorgd."

"Ik kom echt snel," beloofde Michelle haar.

Patricia lachte. "Ja, dat ken ik. Als we nu niet meteen een afspraak maken, komt het er voorlopig weer niet van, dus trek je agenda maar. Het is natuurlijk wel de bedoeling dat je het huis in vol ornaat ziet, voordat mijn zoons het weer afgebroken hebben. Nu is het tenminste nog netjes. Kan jij zaterdag?"

"Nee," antwoordde Michelle met een blik in haar agenda. "Dan hebben we een verjaardag. Zondagmiddag hebben we nog niets staan."

"Dan zijn wij bij mijn schoonouders. We nemen ze mee uit eten omdat ze zo vaak op Bas en Tim hebben gepast de laatste tijd. Maandagavond?"

"Op maandag zitten Ruben en ik op dansles. Salsa."

"Dat schiet lekker op zo. Kom anders nu," stelde Patricia voor. "Hè ja, gezellig. Menno heeft een vergadering en de jongens liggen in bed, dus ik heb het rijk alleen. Bovendien heb ik vanmiddag toevallig een appeltaart gebakken, als dat je over kan halen."

"Ik weet niet," aarzelde Michelle. "Ik ben bezig fotoalbums te maken van onze huwelijksreis, daar wilde ik vanavond mee verder gaan."

"Dat kan altijd nog, dat heeft geen haast. Joh, kom nou," spoorde Patricia haar aan. "Ik zit hier weg te kwijnen van eenzaamheid."

"Dat kan ik natuurlijk niet laten gebeuren," lachte Michelle nu. Ze keek nog even verlangend naar haar computer, maar hakte toen toch de knoop door. Patricia had gelijk, als ze nu niet ging waren ze zo weer een aantal maanden verder. Ze had het nu eenmaal altijd druk. "Oké, dan ben ik er over een half uurtje."

"Leuk. Je weet het te vinden?"

"Ik heb het adres, dus ik stel het navigatiesysteem wel in. Tot straks dan," antwoordde Michelle voordat ze de verbinding verbrak.

Eigenlijk had ze helemaal geen zin om weg te gaan. Het was buiten koud en donker en ze was net zo lekker bezig met haar album. Maar goed, ze had het beloofd en kon nu niet meer terugkrabbelen. Zuchtend sloot ze haar computer af, waarna ze haar tas pakte en haar laarzen en haar jas aantrok. Eenmaal buiten kwam ze tot de ontdekking dat Ruben met de auto weg was. Ze kon maar net een vloek onderdrukken. Verdorie, nu moest ze met de fiets. Als ze zich dat van tevoren had gerealiseerd, had ze Patricia nooit toegezegd te komen. De verleiding om haar nicht alsnog te bellen dat ze niet kon, was groot, maar in de wetenschap dat ze het zelf ook erg vervelend zou vinden als iemand om die redenen afbelde, pakte ze toch haar fiets uit het schuurtje. Een stukje fietsen vond ze overigens helemaal niet erg, het grootste probleem was dat ze niet precies wist waar Patricia woonde. Die nieuwe wijk wist ze echter wel te vinden en daar kon ze het altijd aan iemand vragen, besloot Michelle. De kou viel gelukkig mee. Na twintig minuten stevig doortrappen kwam ze aan bij de wijk in aanbouw waar Patricia's nieuwe huis zich ergens moest bevinden. Veel straten hadden nog geen naambordje, ontdekte ze. Ze zag ook niemand aan wie ze de weg kon vragen, het was hier doodstil. De volgende straat die ze insloeg was aardedonker. Langs de kant van de weg lagen grote hopen zand en Michelle begreep dat dit gedeelte van de wijk nog niet af was. Uit geen enkel huis scheen licht, dus deze straat was nog niet bewoond. Paniekerig keek ze om zich heen. Op deze manier zou ze het nooit vinden en erg op haar gemak voelde zich niet in deze stille, donkere omgeving. Haar richtingsgevoel was niet bijster groot en ondertussen was ze al haar gevoel voor oriëntatie kwijtgeraakt. Haar poging om de verlichte hoofdweg terug te vinden, liep op niets uit. Iedere nieuwe straat die ze insloeg grijnsde haar donker tegemoet.

Ze zette haar fiets tegen een hek en diepte haar mobiel op uit haar tas. Niet dat het erg veel nut had om te bellen, besefte ze. Ze had geen flauw idee waar ze zich bevond, dus Patricia kon haar door de telefoon ook niet terug naar de goede weg loodsen. Besluitloos keek ze naar de telefoon in haar hand, waarvan het schermpje fel oplichtte in het donker.

Plotseling, vanuit het niets, doemde er een man voor haar op.

"Ben je verdwaald?" vroeg hij kortaf.

Michelle schrok op bij het horen van die onverwachte stem.

"Ja. Ik ben ergens hier de wijk ingereden en ik heb geen idee hoe ik er weer uit moet komen," antwoordde ze, na de eerste schrik opgelucht dat er iemand was om haar te helpen. "Ik weet hier totaal geen weg."

Hij liet een kort, onaangenaam lachje horen en ineens werd ze bang. Hoewel ze de man amper kon zien ging er een onmiskenbare dreiging van hem uit. Ze deed een stap achteruit, in het donker tastend naar de fiets achter haar. Snel berekende ze haar kansen.

Als ze haar fiets maar kon pakken, dan kon ze er zo snel mogelijk vandoor gaan.

"Maar het geeft niet, ik vind het wel," riep ze haastig.

"Ho, niet zo snel." Met een snelle beweging pakte de man haar arm vast in een ijzeren greep.

"Laat me los!" Ze probeerde zich los te rukken, maar de man was sterker.

"Ik wed dat je hier heel goed de weg weet," hijgde hij in haar oor terwijl hij haar hand op zijn kruis legde.

Een golf van misselijkheid steeg in haar op. Ze worstelde uit alle macht, maar zonder resultaat. In paniek begon ze te gillen.

"Houd je bek!" siste hij haar toe. Zijn andere hand werd ruw op haar mond gelegd. Instinctief beet Michelle in zijn vinger, een gebaar wat haar duur kwam te staan. Voor ze wist wat er gebeurde had ze een duizelingwekkend harde klap voor haar hoofd te pakken. "Kreng! Ik zal je leren om te bijten!" Hij gooide haar op de grond en ging met zijn volle gewicht boven op haar zitten.

"Laat me alsjeblieft gaan," snikte ze.

Weer klonk dat onaangename, sinistere lachje in haar oren.

"Wij gaan samen wat lol beleven," zei hij hees. "En verspil je energie maar niet aan schreeuwen, er is hier niemand die je hoort." Terwijl hij praatte opende hij de rits van haar jas. De trui die ze eronder droeg werd ruw omhoog geschoven. Even later voelde ze zijn grote handen op haar borsten. Wat ze ook probeerde, ze zag geen enkele mogelijkheid om los te komen van hem. Walgend draaide ze haar gezicht weg toen hij haar probeerde te zoenen. De geur van verschraald bier die uit zijn mond kwam maakte haar nog misselijker dan ze al was.

"Je vindt het lekker, hè?" zei hij. "Ja, stribbel maar tegen, daar houd ik wel van."

Terwijl hij haar met één hand in bedwang hield, trok hij met zijn andere hand haar broek naar beneden. Daarna opende hij die van hemzelf.

"Nee, nee!" Michelle krijste en schopte, maar ze had geen enkele kans tegen hem. Hij was stukken sterker dan zij, ze was aan hem overgeleverd. Met alles wat in haar was hoopte ze dat er iemand langs zou komen die haar kon helpen, de kans daarop was echter uiterst klein. Het bouwterrein lag er verlaten en donker bij. De in aanbouw zijnde huizen staken amper af tegen de donkere lucht. Haar enige hoop was dat er nog iemand verdwaald zou zijn, iemand die deze man uit kon schakelen voordat hij kon doen wat hij van plan was. Helaas was dat ijdele hoop. Zonder dat ze het kon voorkomen nam hij met grof geweld bezit van haar lichaam. Haar onderlijf leek uit elkaar te scheuren van pijn terwijl hij wild op haar tekeer ging. De tranen stroomden over haar wangen en ze had geen enkel besef van tijd meer. Haar tegenstand had ze opgegeven, dat had nu geen enkel nut meer. Huilend lag ze op de koude, harde grond, wensend dat deze nachtmerrie snel achter de rug zou zijn. Voor haar gevoel duurde het uren voordat de man bovenop haar ophield te bewegen en tergend langzaam overeind kwam.

Haar mobiel, die ze zonder dat ze het gemerkt had nog steeds in haar hand klemde, begon te rinkelen. In het licht van het oplichtende scherm zag ze heel even scherp zijn gezicht. Een groot, pafferig gezicht met rood doorlopen ogen, een brede neus en kort stekeltjeshaar van een onbestemde kleur. Zijn lippen waren smal en bloedeloos. Michelle zag dat hij een voortand miste en een grote moedervlek op zijn rechterwang had. Het was informatie die ze in een fractie van een seconde in haar geheugen opsloeg voordat hij haar telefoon uit haar hand griste.

"Waag het niet om op te nemen!" zei hij. Hij drukte het inkomende gesprek weg en stopte haar telefoon met een snelle beweging in zijn zak. Daarna stond hij op om alsof er niets gebeurd was zijn broek weer aan te trekken.

Michelle bleef stil liggen, angstig afwachtend wat hij ging doen. Ze durfde niet te hopen dat hij haar zonder meer zou laten gaan nu hij gedaan had wat hij wilde. Haar angst leek bewaarheid te worden op het moment dat hij zich naar haar toeboog en zijn grote hand om haar keel legde.

"Als je naar de politie stapt, weet ik je te vinden," fluisterde hij dreigend. Hoewel zijn stem uiterst zacht klonk, leek het Michelle toe alsof hij schreeuwde. "Dan kom je er niet zo makkelijk vanaf, schatje. Jij niet en de mensen die je dierbaar zijn ook niet. Knoop dat goed in je oren." Hij drukte zijn hand nog iets vaster op haar keel, zodat Michelle nog maar amper adem kon halen. "Zweer dat je je bek houdt."

"Ik zal niets zeggen," beloofde ze met de moed der wanhoop. "Maar laat me nu alsjeblieft gaan."

Zijn ogen waren vlak bij die van haar. Ondanks het donker zag ze zijn mond vertrekken in een brede grijns.

"Omdat je het zo lief vraagt," zei hij. "Denk eraan, geen woord." Hij richtte zich op en deed zijn jas goed. Zonder haar nog een blik waardig te keuren liep hij weg, haar voor oud vuil achterlatend op de straat.

Versuft bleef Michelle nog lange tijd liggen. Ze kon amper geloven dat hij inderdaad weg was. Haar hele lichaam deed pijn en ze was verkleumd van de kou. Slechts met de grootste moeite lukte het haar om zich aan te kleden. Haar handen trilden zo erg dat ze de rits van haar jas niet dicht kreeg. Met stijve ledematen stapte ze op haar fiets. Op dat moment was er nog maar één gedachte in haar hoofd: ze moest hier zo snel mogelijk weg voordat die enge man terugkwam. Ze besefte amper wat haar overkomen was. Dit was zo gruwelijk dat ze het bijna niet kon bevatten. Verkrachting, daar las ze wel eens over en ze zag het op tv, maar ze was er altijd vanuit gegaan dat het haar niet zou gebeuren. Dergelijke dingen overkwamen anderen, niet haarzelf.

Ze wilde zo snel mogelijk naar huis, waar ze veilig was. Wrang genoeg lukte het haar nu wel om de hoofdweg terug te vinden, hoewel ze zich maar ternauwernood bewust was van haar omgeving. Ze trapte zo snel als ze kon, voortdurend angstig om zich heen kijkend. Het was stil op straat, wat haar gevoel van onveiligheid alleen maar vergrootte. In die wijk in aanbouw was het ook stil geweest. Via een omweg die ze nam omdat ze in de verte een man aan zag komen lopen, arriveerde ze dan eindelijk bij haar huis. Ze was buiten adem van het harde trappen. Ze nam niet eens de moeite haar fiets in het schuurtje te zetten. Ze moest naar binnen, dat was het enige wat door haar hoofd heen hamerde.

Met trillende vingers probeerde Michelle haar sleutel in het slot te steken, een handeling die ze een paar keer moest herhalen voordat het lukte. Net toen ze de deur wilde openen, werd die van binnenuit open getrokken. Ruben stond in de hal.

"Michelle, waar zat je al die tijd? Patricia belde me omdat je niet op kwam dagen en jij je telefoon niet beantwoordde," zei hij. "Ik was doodongerust en wilde je net gaan zoeken. Gelukkig ben je nu thuis en is er niets gebeurd."

Michelle staarde hem aan alsof ze water zag branden.

"Niets gebeurd?" echode ze toonloos. Plotseling begon ze te lachen, wat daarna naadloos overging in wild gesnik. "Niets gebeurd?" Voor de ogen van de geschrokken Ruben liet ze zich op de grond zakken en huilde ze zoals ze nog nooit had gehuild. Alsof ze met haar tranen alle ellende van die avond weg kon wissen. In de wetenschap dat ze veilig thuis was, kon ze zich eindelijk laten gaan.

HOOFDSTUK 4

"Je moet naar de politie," zei Ruben zodra hij begreep wat er gebeurd was.

"Nee!" Michelle deinsde achteruit. "Geen politie."

"Ik begrijp dat het vervelend is om daar alles te moeten vertellen, maar je hebt geen keus, Michelle," zei Ruben zacht. Hij wiegde haar heen en weer alsof ze een klein kind was. "Dit mag niet ongestraft blijven."

"Hij vermoordt me als ik aangifte doe," zei Michelle toonloos. Ze klampte zich aan hem vast. "Alsjeblieft Ruben, geen politie."

"Als jij niets doet, krijgt hij de kans om opnieuw toe te slaan bij een ander."

Michelle huiverde, maar zelfs dit argument kon haar niet over de streep trekken. De man had er zo dreigend uitgezien. Ze voelde nog de druk van zijn hand tegen haar keel. Het was geen loos dreigement geweest, vreesde ze. Als ze nu naar de politie stapte om aangifte te doen, zou ze nooit meer een rustig moment kennen. Dan moest ze voortaan voortdurend over haar schouders kijken. Haar leven zou dan beheerst worden door angst voor wat hij met haar zou gaan doen.

"Niet als hij vast zit," merkte Ruben op nadat ze haar gedachten onder woorden had gebracht.

Ze kon een schamper lachje niet onderdrukken.

"Hoe lang?" vroeg ze cynisch. "Kom op, jij weet net zo goed als ik dat de straffen hier niets voorstellen. Ook al wordt hij van-avond nog gepakt, dan loopt hij over een paar maanden weer vrij rond. Als hij überhaupt al veroordeeld wordt. Waarschijnlijk krijgt hij een gratis strafpleiter toegewezen die voor de rechtbank een zielig betoog houdt over zijn moeilijke jeugd, waarna hij of vrijgesproken wordt of hooguit een taakstraf moet ondergaan. Dan raapt hij een week lang papiertjes op van straat, dat is alles. Ondertussen betalen wij ons blauw aan onze advocaat en schieten we er per saldo niets mee op. En dan heb ik het nog niet eens over de vernedering die ik moet ondergaan door in een rechtbank het hele verhaal te vertellen terwijl ik onderworpen word aan de vragen van zijn advocaat. Waarschijnlijk vraagt hij me wat ik in die donkere straat deed en weet hij het zo te draaien dat ik het zelf uitgelokt heb."

Ruben zweeg, want hier kon hij weinig tegenin brengen. Hij las ook kranten en keek ook het nieuws op tv en dergelijke verhalen kwamen helaas maar al te vaak voor. Het leek er regelmatig op dat daders veel beter af waren dan slachtoffers.

"Ga dan in ieder geval naar het ziekenhuis voor een onderzoek," drong hij even later aan. "Je zit onder de blauwe plekken."

Weer schudde Michelle wild met haar hoofd.

"Nee. Als ik naar het ziekenhuis ga bellen zij de politie. Dat wil ik niet, Ruben."

"Maar wat wil je dan?" vroeg hij wanhopig.

"Douchen en het vergeten."

"Dat eerste zal wel lukken, maar het tweede?" Hij keek haar vorsend aan. "Dat gaat niet zo makkelijk, schat."

"Aangifte doen zal het zeker niet minder moeilijk maken. Integendeel zelfs." Michelle rilde. Weer zag ze zijn harde ogen voor zich en hoorde ze de klank van zijn stem toen hij dreigde haar te vermoorden. Ze twijfelde er geen moment aan dat hij dat dreigement uit zou voeren als ze niet deed wat hij zei. Ze had al geluk gehad dat hij dat niet meteen gedaan had. Voor hetzelfde geld had ze nu levenloos in die straat gelegen. In plaats daarvan was ze veilig thuis, dat was in ieder geval iets om dankbaar voor te zijn. Ruben besloot niet verder aan te dringen. Michelle had genoeg meegemaakt, het was haar keus hoe ze daar verder mee om wilde gaan. Met een gevoel van onmacht klemde hij haar tegen zich aan. Als het aan hem lag ging hij zelf op zoek naar die vent. Voor het eerst van zijn leven voelde hij zich in staat een ander mens iets aan te doen, zo woedend was hij. Bij de gedachte aan wat zijn Michelle had moeten doorstaan stokte zijn adem in zijn keel en kwam er een rood waas voor zijn ogen. Onwillekeurig verkrampten zijn handen, wat Michelle een kreet van pijn ontlokte.

"Het spijt me," zei hij berouwvol. "Zal ik het bad voor je vol laten lopen?"

"Nee, ik wil douchen. Ik moet hem van me afspoelen," zei Michelle toonloos.

"Dan maak ik iets warms te drinken voor je," beloofde Ruben.

Michelle draaide de thermostaat van de douche zo heet mogelijk, zodat haar lichaam het nog net kon verdragen. Haar kleding gooide ze meteen in de prullenbak. Die zou ze toch nooit meer aantrekken, wist ze. Dat zou haar alleen maar herinneren aan wat ze net had meegemaakt en dat wilde ze juist zo snel mogelijk vergeten. Haar lichaam voelde beurs aan en ze zat onder de blauwe plekken. Haar rug was stijf van het liggen op de koude, harde grond. Het hete water wat over haar gekneusde lijf stroomde, vermengde zich met de tranen op haar wangen. Tot enkele uren geleden was ze de gelukkigste vrouw op aarde geweest. Ze was net getrouwd, gezond en haar bedrijf was hard op weg succesvol te worden. Het enige wat nog op haar verlanglijstje had gestaan was een baby van Ruben en haar en ook dat stond op het punt verwezenlijkt te worden. De hemel was voor Michelle puur blauw, zonder een enkel wolkje. En nu, in een avond, was diezelfde hemel zwart geworden. Het blauw was in één klap verdwenen. De onbekende man, wiens gezicht ze uit kon tekenen en die ze steeds duidelijk voor zich zag als ze haar ogen sloot, had niet alleen haar lichaam afgepakt, hij had al het goede van haar afgenomen. Op dat moment voelde ze zich slechts een waardeloos vod. Een gebruiksvoorwerp zonder enig bestaansrecht. Ze wenste dat ze tegelijk met het water in het doucheputje kon verdwijnen.

Michelle leunde tegen de tegelmuur in een poging de afgelopen avond van zich af te spoelen. Had Ruben toch gelijk en moest ze naar de politie? Haar hele wezen schreeuwde daar 'nee' tegen, al probeerde een klein stemmetje in haar hoofd haar te vertellen dat een aangifte van haar mogelijk deze ellende voor een andere vrouw kon voorkomen. Maar dat was haar verantwoording niet, hield ze zichzelf voor. Zij was ongetwijfeld niet zijn eerste slacht-offer, toch liep hij vrij rond. Als ze de garantie kon krijgen dat hij de rest van zijn leven achter tralies zou verdwijnen had ze nu al op het politiebureau gezeten, maar zo werkte dat nu eenmaal niet. Zelfs als hij een gevangenisstraf zou krijgen, wat nog maar zeer de vraag was, zou het niet zo lang zijn. Eens kwam hij weer vrij en dan werd zij het mikpunt van zijn wraak, daar was ze zeker van.

"Michelle?" De stem van Ruben haalde haar met een schok uit haar overpeinzingen. "Gaat het? Je bleef zo lang weg, ik werd ongerust. Je staat al ruim een uur onder de douche."

"Ik kom eraan." Ze draaide de kraan uit en huiverde bij de plotselinge kou waar ze aan blootgesteld werd. Ruben wikkelde haar zorgzaam in een groot badlaken. Met een kleinere handdoek droogde hij haar haren, daarna hielp hij haar in haar dikke, warme ochtendjas. Michelle liet zich zijn zorgen heerlijk aanleunen. Eenmaal beneden schonk hij hete koffie met een fikse scheut cognac voor haar in. De alcohol verwarmde haar lichaam, maar leek de ijskoude plek in haar borst niet te kunnen bereiken. Zwijgend zaten ze naast elkaar op de bank. Ruben had zijn arm om haar heen geslagen en na enige aarzeling had Michelle zich tegen hem aan genesteld. Bij Ruben was ze volkomen veilig, dat wist ze. Een blik op de klok vertelde haar dat het kwart over tien was. Haar ogen werden groot van verbazing. Kwart over tien pas? Voor haar gevoel was de nacht al bijna voorbij, maar het was nog niet eens hun normale tijdstip van naar bed gaan. Drie uur geleden had ze nog aan haar computer gezeten, onwetend van wat haar allemaal te wachten stond, realiseerde ze zich. Snel rekende ze uit dat ze alles bij elkaar dus maar net anderhalf uur weg was geweest. Anderhalf uur die haar leven volledig op zijn kop hadden gezet.

Als Patricia niet had gebeld, had ze nu nog heerlijk aan haar fotoboek gewerkt. Misschien was ze daar dan inmiddels mee klaar geweest en had ze nog iets gedronken. Maar Patricia had wel gebeld. Waarom had ze niet gewoon gezegd dat ze geen zin had om de deur uit te gaan? Waarom had ze niet alsnog afgebeld toen ze zag dat Ruben de auto mee had genomen? Vragen die geen nut hadden, maar die wel in haar hoofd opkwamen. Achteraf bezien had die verkrachting zo makkelijk voorkomen kunnen worden. Maar ze was wel gegaan, met alle gevolgen van dien. Michelle rilde in haar warme ochtendjas.

"Nog een drankje?" stelde Ruben voor. "Misschien warm je daar wat van op."

Vast niet. Ik word nooit meer warm, had Michelle willen zeggen, maar ze hield haar mond. Ze wilde niet praten, ook niet over onbenullige onderwerpen. Het enige wat ze wilde was stil tegen Ruben aan zitten en net doen alsof er niets aan de hand was. Kon ze dat maar. Kon de gebeurtenis van die avond maar gewist worden, zoals ze foto's wiste van haar digitale camera.

Tot haar eigen verbazing sliep ze die nacht diep en droomloos. Pas tegen de ochtend werd ze wakker met het vage gevoel dat er iets niet klopte. Nog geen seconde later stond de hele gebeurtenis haar weer helder voor ogen. Het zweet brak haar uit en ze schoot overeind. Meteen was daar Rubens arm en zijn geruststellende stem.

"Je ligt veilig in je eigen bed, er is niets aan de hand," sprak hij op kalme toon.

"Ik werd wakker en realiseerde me ineens wat er gebeurd is."

"Gelukkig heb je goed geslapen. Eigenlijk had ik dat niet verwacht." Ruben knipte het schemerlampje naast hun bed aan en trok Michelle tegen zich aan.

"Ik ook niet. Hoe laat is het eigenlijk?"

"Half zes. We hoeven er nog niet uit. Ik neem vrij vandaag," besloot Ruben. "Ik zal straks bellen dat ik niet kom."

Michelle staarde naar het plafond. Nu ze eenmaal goed wakker was, drong alles van de vorige avond zich onontkoombaar aan haar op. Even was het zelfs net of ze zijn handen weer op haar lichaam voelde. Het liefst zou ze nu tegen Ruben aankruipen en haar bed nooit meer verlaten. Zijn voorstel klonk dan ook zeer verleidelijk, tegelijk wist ze echter dat het niet goed zou zijn. Als ze zich nu teveel aan Ruben vastklampte, zou haar angst de overhand krijgen en durfde ze straks niets meer alleen. Het leek haar het beste om zo snel mogelijk de draad van haar leven weer op te pakken, al was dat nog zo moeilijk. Als Ruben thuis bleef zouden ze of alleen maar over de verkrachting praten, of juist krampachtig net doen of er niets aan de hand was. Dat eerste wilde ze niet, het laatste leek haar een onmogelijke opgave.

"Nee, we gaan allebei gewoon werken," zei ze dan ook. "We moeten zo normaal mogelijk doen, Ruben. Het is gebeurd, daar kunnen we jammer genoeg niets meer aan veranderen, maar het helpt niet als we er te lang bij stil blijven staan."

"Weet je dat zeker?" vroeg hij aarzelend. "Ik wil alles voor je doen, dat weet je."

"Er is niets wat je kunt doen," zei Michelle echter. "Behalve dan gewoon doorgaan en er zo min mogelijk over praten."

"Dat lijkt me juist niet goed. Op de één of andere manier moet je het zien te verwerken. Het wegstoppen is geen oplossing."

"Ik moet het op mijn eigen manier doen en eerlijk gezegd heb ik geen flauw benul hoe, maar op dit moment lijkt het mij het beste om gewoon aan de slag te gaan."

"Als jij dat wilt, doen we dat." Ruben draaide haar gezicht naar hem toe en keek haar diep in haar ogen. "Maar zeg het alsjeblieft meteen als ik iets voor je kan doen. Bel me als je wilt dat ik naar huis kom, je hoeft je niet groot te houden voor mij. Voor niemand trouwens. Je mag huilen, schreeuwen, kwaad worden, wat dan ook. Alles wat jou kan helpen."

"Als schreeuwen zou helpen, zou ik de longen uit mijn lijf schreeuwen," zei Michelle cynisch. Ze maakte zich los uit zijn armen en stond op, ondanks het nog vroege tijdstip. Slapen kon ze nu toch niet meer. Zoals iedere ochtend zette ze meteen het koffiezetapparaat aan, waarna ze in afwachting van de verse koffie onder de douche dook. Ze schrok toen ze in de grote spiegel in de badkamer keek. De blauwe plekken waren nog erger dan de avond daarvoor. Snel wendde ze haar blik af. Douchen en afdrogen deed ze met haar ogen dicht. Ze wilde niet geconfronteerd worden met dit bewijs van wat er voorgevallen was.

Ondanks haar stoere bewering dat ze gewoon moesten doen, had ze de neiging om Ruben tegen te houden toen hij op het punt stond naar zijn werk te gaan.

"Weet je het heel zeker?" vroeg hij nogmaals. "Ik vind het niet prettig om je nu alleen te laten."

"Je kunt toch moeilijk de rest van mijn leven dicht bij me blijven," antwoordde Michelle nuchter in weerwil van haar gevoelens. Als ze nu aan haar angst toegaf, durfde ze straks nooit meer alleen thuis te blijven, vreesde ze. Ze moest er toch doorheen, dan kon ze dat maar beter meteen doen, anders werd het alleen maar moeilijker. Desondanks stond het zweet in haar handen bij zijn vertrek. Haar hart bonsde luid en ze stond te trillen op haar benen. Toch weerstond ze de verleiding om hem terug te roepen. Wel draaide ze de deur op het nachtslot en schoof ze ten overvloede de knip erop. Voor ze naar de zolder ging om te werken sloot ze ook de keukendeur met de knip en controleerde ze zorgvuldig of alle ramen dicht waren.

Echt op haar gemak voelde ze zich boven niet. Bij ieder geluidje wat ze hoorde schoot ze geschrokken overeind, om gespannen te luisteren. Het verwerken van de bestellingen en het bijwerken van haar webwinkel gaf afleiding, maar ze kon haar aandacht er niet zoals anders volledig bijhouden. Het inpakken van de bestellingen deed ze niet, zoals anders, met de radio hard aan. Ze was juist gespitst op ieder geluid van buiten en van beneden. Verstandelijk gezien vond ze dat onzin van zichzelf. Tenslotte was haar hier thuis niets overkomen, toch kon ze niet anders. Ze was nooit eerder zo gespannen geweest. Haar lichaam voelde aan als een te strak aangedraaide veer, die ieder moment zijn rek kon verliezen. Trek in eten had ze niet, al kreeg ze in het begin van de middag wel dorst.

Michelle was net beneden in de keuken bezig thee te zetten toen de bel door het huis galmde. Als verlamd bleef ze stokstijf staan. Wat als haar verkrachter voor de deur stond, schoot het door haar heen. Wat als hij haar gevonden had en zijn karwei alsnog af kwam maken? Ze beet tot bloedens toe op haar lip, te geschrokken om te bewegen. Pas bij het tweede belgerinkel liep ze langzaam naar de kamer, zodat ze door het raam kon kijken wie er voor de deur stond. Zomaar opendoen durfde ze niet.

Het was Louise die in de voortuin stond. Tranen van pure opluchting schoten bij Michelle in de ogen.

"Wat ben ik blij dat jij het bent," snikte ze toen het haar eindelijk gelukt was de sloten en de knip los te maken. "Ik dacht…"

"Ik had eerst op moeten bellen," begreep Louise. "Sorry, daar heb ik niet eens bij stilgestaan. Ruben belde me net om te vertellen wat er gebeurd is en wilde alleen maar naar je toe. Verdomme Michelle, ik vind het zo erg voor je. Hoe voel je je? Nee, laat maar," viel ze zichzelf in de rede. "Beantwoord die vraag maar niet. Is er iets wat ik voor je kan doen?"

"Nou, eigenlijk wel. Mijn bestellingen moeten naar het postkantoor."

"En jij wil niet in je eentje de straat op. Prima, dan gaan we samen," zei Louise.

"Wil jij het doen?" vroeg Michelle kleintjes.

Louise dacht even na, maar schudde daarna haar hoofd.

"Nee, we gaan samen. Het is licht en ik ben bij je."

Michelle beet op haar onderlip. De smaak van bloed drong zich aan haar op.

"Vind je me niet heel erg kinderachtig als ik zeg dat ik het eng vind om naar buiten te gaan?"

"Het lijkt me heel normaal dat je bang bent. Ik zou het heel vreemd vinden als het niet zo was," verklaarde Louise kalm. "Wil je er eigenlijk over praten?"

"Nee, liever niet."

"Oké. Als dat verandert, laat het dan weten. Ik ben er voor je, Michelle."

Louise keek haar ernstig aan en Michelle knikte dociel. Ja, iedereen was er voor haar en daar was ze dankbaar voor, toch kon niemand echt bevroeden hoe ze zich voelde. Het was of er een steen in haar borst zat waar gisteren nog haar hart gezeten had. Ze ademde, ze praatte en ze werkte, toch was het net of ze er zelf niet bij was. Het leek meer alsof ze van een afstandje naar zichzelf keek. Louise praatte ondertussen over koetjes en kalfjes, informeerde of ze al opschoot met haar fotoalbums en vertelde over Tessa's vorderingen. Michelle was blij dat haar vriendin het respecteerde dat ze niet over het gebeuren wilde praten en dat ze er niet bij haar op aandrong dat ze alsnog naar de politie moest gaan. Op een gegeven moment stond Louise op.

"Zullen we dan maar naar het postkantoor gaan?" stelde ze luchtig voor.

Met tegenzin deed Michelle haar jas en schoenen aan. Ze wilde niet naar buiten, ze wilde in de veilige cocon van haar huis blijven. Hoewel, ze had zich thuis ook niet veilig gevoeld in haar eentje, bedacht ze. Ze laadden de dozen op het steekkarretje wat Michelle speciaal voor dit doel had aangeschaft. Het postkantoor bevond zich twee straten bij haar huis vandaan, het was onzin om voor dat stukje iedere dag de auto te pakken, maar lopen met een aantal dozen in haar handen was niet echt makkelijk of comfortabel. Dit karretje was dan ook een uitkomst. Eenmaal buiten keek ze steeds angstig om zich heen. Louise deed of ze het niet merkte, zij kletste vrolijk verder. Ondertussen hield ze Michelle wel scherp in de gaten. Net voor ze de hoek om wilden slaan kwam er een lange, breed gebouwde man de bocht om. Michelle greep Louise bij haar arm vast en hapte naar adem. Heel even dacht ze dat hij het was voor ze haar vergissing inzag. Trillend leunde ze tegen de muur aan.

"Ik kan dit niet, ik ga terug naar huis," bracht ze met moeite uit. "Breng jij die pakketjes maar weg."

Louise keek haar peinzend aan. Haar hart vulde zich met medelijden voor haar zwaar getroffen vriendin, maar met alleen medelijden was Michelle niet geholpen.

"En dan?" informeerde ze kalm. "Blijf je dan de rest van je leven binnen zitten, alsof jij degene bent die gestraft moet worden en die gevangen zit? Dan laat je hem dus winnen."

"Hoe bedoel je?" vroeg Michelle verward.

"In dat geval heeft hij niet alleen je lichaam, maar ook je geest gepakt. Gun je het die man werkelijk dat je voortaan als een schuw vogeltje door het leven gaat, constant over je schouders kijkend en beducht voor alles en iedereen? Dat je jezelf opsluit in huis, uit angst?"

Michelle schudde haar hoofd. "Nee, niet als je het zo stelt."

"Zo is het. Tegenover Ruben was je zo sterk vanmorgen, zei hij. Je wilde persé dat alles zo normaal mogelijk gaat. Je dagelijkse gang naar het postkantoor hoort daar ook bij," zei Louise. "Evenals 's avonds gaan stappen, op visite gaan, boodschappen doen en alle andere zaken waar je voor naar buiten moet."

Michelle kromp even in elkaar bij die woorden. 's Avonds naar buiten gaan zou ze nog heel lang niet durven, dat wist ze al bij voorbaat. Niet in haar eentje tenminste en zeker niet op de fiets of lopend. Toch kon ze niet anders dan Louise gelijk geven. Ze mocht die man niet achteraf ook nog de controle over haar leven geven, het was al erg genoeg dat hij dat gisteravond gedaan had. Onwillekeurig rechtte ze haar schouders.

"Je hebt gelijk. Met mijn verstand weet ik dat, maar mijn gevoel spreekt een andere taal. Het is moeilijker dan ik dacht om normaal te doen," zei ze met een klein lachje.

"Dat hoeft ook niet op stel en sprong, geef jezelf de tijd om het te verwerken," adviseerde Louise. "Zullen we verder lopen? Red je het?"

Michelle knikte. "Ik laat me niet klein krijgen door die schoft," sprak ze stoer. Haar binnenste leek haar echter uit te lachen bij die boute bewering. Zweetdruppeltjes parelden op haar voorhoofd en ze trilde inwendig, toch zette ze door. Na het afhandelen van haar zaken voelde ze zich dan ook buitensporig trots op zichzelf. Dat ze het toch gedaan had, al was het dan met Louise samen, voelde als een eerste stap op weg naar verwerking.

HOOFDSTUK 5

De dagen erna leek het alsof er niets gebeurd was. Iemand die Michelle niet kende, zou nooit geloven dat ze zo'n traumatische ervaring had ondergaan. Alleen Ruben zag hoe ze schrok bij ieder vreemd geluid, hoe ze beefde als hij 's morgens de deur uitging en hoe bleek ze zag onder haar make-up. Het krampachtige zo normaal mogelijk doen vrat energie. 's Avonds was Michelle zo moe dat ze er niet eens van kon slapen en als ze dan eindelijk wegzakte werd ze vaak gillend en zwetend wakker omdat het dreigende gezicht van die man in haar dromen opdook. Ze vermeed het zoveel mogelijk om de deur uit te gaan en nam de telefoon overdag niet op als ze op haar display zag dat het een bekende was. Patricia, ingelicht door Ruben, probeerde haar al dagen te bellen, maar Michelle kon het niet aan om met haar over het gebeurde te praten. Als Patricia haar die avond niet uitgenodigd had, was het niet gebeurd. Ze gaf haar nicht niet de schuld van de verkrachting, maar associeerde haar er wel mee en kon daardoor de confrontatie met haar niet aan. Ze stortte zich op haar werk, blij met de afleiding die dat haar bood. Als ze aan het werk was, lukte het haar soms voor heel even om die bewuste avond van zich af te zetten. De dagelijkse gang naar het postkantoor was echter een kwelling voor Michelle. Ze dwong zichzelf ertoe omdat het moest en omdat ze niet toe wilde geven dat ze bang was op straat. Ze was het verstandelijk bezien volkomen eens met alles wat Louise die eerste dag had gezegd en wilde daar ook naar handelen, toch kostte het haar iedere dag weer enorm veel moeite om haar huis uit te gaan. Als ze weer thuiskwam transpireerde ze hevig en leek het wel of ze van rubber was gemaakt, zo week en slap voelde ze zich dan.

Ruben zag haar geworstel met de dagelijkse gang van zaken met lede ogen aan, maar iedere poging van zijn kant om daar over te praten kapte Michelle onmiddellijk af. Na vijf dagen liet hij zich daar echter niet meer door weerhouden.

"Dit gaat niet goed zo," zei hij resoluut, ondanks haar afwerende gezicht. "Je moet erover praten, Michelle. Je kunt niet zomaar verder leven alsof er niets gebeurd is."

"Het lukt me anders aardig," zei ze stroef zonder hem aan te kijken.

"Voor een oppervlakkige vreemde misschien, maar niet voor mij. Je hebt een masker opgezet, maar het is een masker waar ik doorheen kijk. Een glazen masker. Ik zie aan je hoe beroerd je je voelt. Dat is ook logisch. Je moet een manier vinden om het te verwerken."

"Ik probeer het te vergeten."

"Dat is onmogelijk, Michelle. Je kunt een dergelijke gebeurtenis niet zomaar uit je geheugen wissen."

"Er zijn zat dingen in mijn leven voorgevallen, ook negatieve, waar ik nooit meer aan denk."

"Niet zoiets ingrijpends. Hoe vreselijk ik het ook vind om het te moeten zeggen, je zult dit voor altijd met je mee blijven dragen." Meelevend keek hij haar aan. "Ik weet niet wat ik kan doen om je te helpen."

"Je zou om te beginnen je mond kunnen houden," zei Michelle kortaf. "Het oprakelen van die ene avond zal me niet verder helpen."

"Het verdringen ook niet. Je kunt het namelijk niet verdringen. Je moet er doorheen," beweerde Ruben.

Michelle liet een hatelijk lachje horen. "O, je bedoelt dat ik het in gedachten steeds opnieuw moet beleven? Nee, dank je, daar heb ik geen enkele behoefte aan. Als ik mijn ogen sluit gebeurt dat al, ik doe juist alle mogelijke moeite om dat uit te bannen."

"Zonder resultaat. Ik zie je eraan kapot gaan, schat. Zoek alsjeblieft hulp. Ik begrijp het als je er niet met mij over wilt praten, maar zoek dan iemand anders met wie je dat wel kan."

"Een psychiater zeker?" zei Michelle cynisch.

"Of lotgenoten. Je bent niet de enige vrouw wie dit overkomen is. Het internet staat vol met vrouwen die elkaar hierin steunen."

"Gezellig samen met elkaar kletsen over verkrachting. Ja, leuk."

Ruben hief in een machteloos gebaar zijn armen omhoog. "Wat wil je dan wel? Zeg het alsjeblieft, want ik weet het niet."

Michelle zweeg. Wist ze het maar. Wist ze maar wat haar zou helpen uit deze immer voortdurende nachtmerrie. De verkrachting was niet afgelopen op het moment dat de man haar achter liet in die donkere straat, het was voor haar gevoel nog steeds aan de gang. In dat ene halve uurtje had hij haar leven volledig kapot gemaakt. Al het goede wat ze voor die avond had gehad, was in elkaar geklapt.

"Ik wil mijn leven terug," zei ze opeens na een lange stilte. "Mijn leven zoals het was voor die ene avond. Ik was zo gelukkig." Er welde een droge snik op in haar keel, haar ogen bleven echter droog. Ze kon niet huilen. Misschien zou het schelen als dat haar wel lukte, als ze haar gevoelens kon uiten in plaats van ze diep weg te stoppen achter het glazen masker, zoals Ruben het noemde.

Ruben kwam naast haar zitten. Behoedzaam sloeg hij zijn armen om haar heen en Michelle legde haar hoofd tegen zijn borst. Gelukkig had ze geen aversie tegen lichamelijk contact overgehouden, al moest ze er niet aan denken om seks met Ruben te hebben. Dat ging een stap te ver. Hij begreep dat en maakte geen enkele aanstalten in die richting, iets waar ze dankbaar voor was.

"Je hebt nog steeds alles wat je voor die avond ook had," zei Ruben zacht.

"Dat lijkt niet meer mee te tellen. Hij heeft het verwoest. Soms voelt het alsof ik nooit meer gelukkig kan zijn, met niets." Dof staarde ze voor zich uit. Met pijn in zijn hart zag Ruben dat de glans uit haar ogen verdwenen was. Weer welden er wraakgevoelens in hem op, zoals al dagen het geval was. Hij had zelf nooit geweten dat hij dergelijke gevoelens kon hebben. Als hij die man in zijn handen had, zou hij niet voor de gevolgen in kunnen staan, wist hij.

"Zou je je niet beter voelen als die man achter tralies zou belanden?" vroeg hij zich af.

Michelle schudde haar hoofd. "Ik doe geen aangifte," zei ze stellig. "Houd daar alsjeblieft over op."

"Ik denk dat het beter is voor de verwerking."

"Hou op, zei ik!" Michelle sprong overeind van de bank en liep bij Ruben vandaan. "Verdomme Ruben, je roept constant dat je me wilt helpen, maar tegelijkertijd probeer je me steeds over te halen tot iets wat ik niet wil."

"Voor jouw bestwil," weerlegde hij dat.

"Nee, voor het jouwe. Jij wilt aangifte doen, jij wilt wraak, jij wilt dat hij opgesloten wordt."

"Ik kan me niet voorstellen dat jij dat niet wilt."

"Wat ik wil is met rust gelaten worden!" schreeuwde ze. Haar vuisten waren gebald en haar mond vertrok tot een smalle streep. "Vraag niet steeds wat ik wil als je toch niet naar het antwoord luistert."

"Oké, ik zeg al niets meer," zei Ruben met een strak gezicht. Ook hij stond nu op. "Ik ga naar bed. Als je wilt praten, weet je me te vinden."

Michelle keek hem na toen hij de kamer verliet. Ze wilde zich verontschuldigen voor haar uitval, maar de woorden kwamen niet uit haar mond. Op sommige momenten haatte ze Ruben. Als hij die avond de auto niet mee had genomen...

Ze schudde haar hoofd. Nee, zo wilde ze niet denken. Het was niet de schuld van Patricia, niet van Ruben en niet van haarzelf. Er was maar één schuldige in dit verhaal en dat was die onbekende man. Alle andere factoren die ertoe geleid hadden, waren slechts een samenloop van omstandigheden geweest. Die man had van haar af moeten blijven, hoe dan ook. Dat hield ze zichzelf steeds opnieuw voor, toch kon ze niet altijd verhinderen dat haar gedachten soms die kant opgingen. Alsof ze een zondebok nodig had. Iemand die ze de gang van zaken kwalijk kon nemen zonder angst dat die persoon haar iets aan zou doen. Ze rilde als ze terugdacht aan de bedreigingen van die man.

"Als je naar de politie stapt, vermoord ik jou en iedereen die je lief is."

Die woorden kon ze niet uit haar hoofd zetten. Ze beletten haar om stappen tegen hem te ondernemen, waardoor ze in een vicieuze cirkel rond bleef draaien. Ze hoorde Ruben boven haar hoofd in de slaapkamer rusteloos heen en weer lopen, maar voelde niet de behoefte om naar hem toe te gaan. Lusteloos zette ze de computer aan. Ruben had het over lotgenoten gehad. Misschien was dat inderdaad niet zo'n slecht idee. Iemand die dit niet had meegemaakt, kon haar nooit helemaal begrijpen. Al snel had ze gevonden wat ze zocht, een forum waarbij vrouwen die ooit het slachtoffer waren geworden van verkrachting elkaar bij stonden. Haar hand aarzelde boven de muis. Nu klikken betekende een rechtstreekse confrontatie met een gebeurtenis die ze wilde vergeten. Als zij ook haar verhaal vertelde op dit forum, kon ze het nooit meer ontkennen. Nooit meer doen of het niet gebeurd was. Ze haalde diep adem en klikte op het icoontje 'ervaringen delen'. Een lang verhaal verscheen op het beeldscherm.

'Het was een gewone woensdagavond. Ik was onderweg naar mijn vriendin toen een vreemde man me aansprak. Voor ik wist wat er gebeurde trok hij me de struiken langs de kant van de weg in,' las ze.

Het zweet brak Michelle uit na het lezen van die zinnen. Haar hart bonsde alsof het zich uit haar borstkas wilde bevrijden en de kamer draaide voor haar ogen. Resoluut zette ze de computer uit, zelfs zonder het bewuste programma eerst af te sluiten. Dit kon ze niet aan. Haar eigen ervaring was erg genoeg zonder ook nog kennis te moeten nemen van andermans verhalen. Hoe konden dergelijke verhalen haar helpen met de verwerking? Dat leek haar een onmogelijkheid.

De volgende ochtend begon haar nieuwe mobiel al vroeg te rinkelen. Patricia, zag Michelle op het display. Ze drukte het gesprek weg en richtte zich weer op haar werk. Ze verving enkele make-uptips op haar website, iets wat ze wekelijks deed, en plaatste haar aanbieding voor deze week, een foundation die beloofde de hele dag te blijven zitten zonder vlekken te veroorzaken. Daarna werkte ze haar administratie bij. Weer ging haar telefoon over. Deze keer was het haar buurvrouw Carla en ook dat gesprek nam Michelle niet aan. Haar vriendinnen bedoelden het allemaal goed, maar ze kon er niet tegen als ze haar medelijdend aankeken en bezorgd vroegen hoe het ging. De enige die door haar pantser heen kon breken was Louise. Zij deed tenminste normaal en behandelde haar niet of ze plotseling van porselein was gemaakt. Even later deed de deurbel haar opschrikken uit haar concentratie. Onzeker liep Michelle naar beneden. Vanwege haar webwinkel kreeg ze regelmatig leveranciers aan de deur, dus ze was er wel aan gewend dat de bel overdag door het huis schalde, toch was ze iedere keer weer bang dat hij het zou zijn. Een angst die nergens op sloeg, daar was ze zich heel goed van bewust, maar met haar verstand kon ze dat gevoel niet weg redeneren. Door het raampje in de deur zag ze Patricia staan en ze was zo opgelucht dat ze haar meteen binnen liet, zonder er bij stil te staan dat ze naar nicht eigenlijk niet wilde zien.

"Ik moest naar je toe," zei Patricia terwijl ze haar omhelsde. Ze had tranen in haar ogen. "Ik probeer je de hele week al te bellen. Ik vind het zo erg."

Michelle bleef als versteend staan. Bij de aanblik van Patricia stond die hele avond ineens weer glashelder voor haar ogen. Het voelde bijna alsof hij haar weer aanraakte. Haar ogen werden groot in haar bleke gezicht.

"Michelle!" Patricia schudde haar zachtjes heen en weer. "Wat is er? Kijk niet zo raar. Ik ben het, Patricia." Haar stem klonk paniekerig.

"Patricia," herhaalde Michelle dociel.

Plotseling brak ze. Haar knieën begaven het en ze zakte in elkaar in het kleine halletje. Met haar armen om haar benen heen geslagen begon ze wild te snikken. Eindelijk kwamen de tranen los die haar al de hele week dwars hadden gezeten, maar die niet hadden willen losbarsten. Nu leek de stroom niet meer te stoppen. Patricia keek hulpeloos toe. Wat ze ook verwacht had, in ieder geval niet deze spontane uitbarsting van verdriet en ellende.

"Zullen we naar de kamer gaan?" stelde ze onzeker voor.

Haar woorden bereikten Michelle niet. Nu ze zo onverwachts met Patricia werd geconfronteerd, iets wat ze juist had willen vermijden, drong de betekenis van wat haar was overkomen in volle hevigheid tot haar door. Ze onderging opnieuw de vernedering en de pijn van die bewuste, zwarte avond. Alles wat ze zo manmoedig had getracht te verdringen besprong haar nu zonder dat ze eraan kon ontkomen. Als een hongerige leeuw zijn prooi. Ze huilde met gierende uithalen, een geluid wat Patricia door haar ziel sneed. Onhandig probeerde ze Michelle te troosten, maar niets van wat ze zei had enig effect op haar. Ten einde raad pakte ze haar mobiel om Ruben te bellen.

"Ik kom eraan," zei hij kort nog voordat ze helemaal uitgepraat was. De klant waar hij mee aan het praten was liet hij zonder meer bij zijn bureau achter. Hij had nog net de tegenwoordigheid van geest om naar een collega te roepen dat hij wegging, een verklaring gaf hij niet. Het laatste waar hij op dat moment mee bezig was, waren beleefdheidsnormen. Zo snel mogelijk haastte hij zich door het verkeer naar huis. Gelukkig was het op dit tijdstip, halverwege de dag, rustig op de weg. Hij kon overal zo doorrijden, al moest hij een paar keer flink zijn gaspedaal intrappen om nog net door een verkeerslicht te kunnen rijden voordat het op rood sprong. Tien minuten sneller dan normaal reed hij zijn eigen straat in, bang voor wat hem thuis te wachten stond. Hij was niet veel wijzer geworden van wat Patricia had gezegd, maar het geluid van de wanhopig snikkende Michelle op de achtergrond was wel tot hem doorgedrongen en dat was genoeg geweest. Blijkbaar was ze volledig ingestort. Ruben wist zelf niet goed of dat wel of geen gunstig teken was in de gegeven omstandigheden. Maar waarschijnlijk was alles beter dan de krampachtige houding waarmee ze hem wijs wilde maken dat er niets aan de hand was terwijl iedereen wist dat ze van binnen volledig kapot was.

Patricia opende de deur zodra ze zijn auto aan zag komen.

"Wat ben ik blij dat je er bent," zei ze opgelucht.

Ruben sloeg geen acht op haar. Hij knielde bij Michelle neer, die nog steeds in het halletje op de grond zat. Zonder iets te zeggen sloeg hij beschermend zijn armen om haar heen. Michelle klampte zich aan hem vast.

"Stil maar, stil maar," zei Patricia onbeholpen.

"Niks stil maar. Het is goed dat ze eindelijk huilt, laat het er maar uit komen," zei Ruben kortaf. "Ik ben blij dat ze eindelijk emotie toont."

"Sorry. Ik probeer te helpen."

"Dat weet ik," zei hij nu iets vriendelijker. Hij tilde Michelle op en droeg haar naar de huiskamer, waar hij zelf ging zitten en haar op zijn schoot trok. Ze huilde nog steeds onverminderd verder. Eén lange stroom van tranen, met in iedere traan een onpeilbare pijn. Ruben kon alleen maar vermoeden hoe ze zich moest voelen. Hij gebaarde naar Patricia dat ze beter weg kon gaan en hij was blij dat ze dat zonder te protesteren deed.

"Ik bel straks," mimede ze naar hem.

Hij knikte slechts kort, met al zijn aandacht bij zijn vrouw. Het duurde lang voordat Michelle iets rustiger werd. Uiteindelijk leunde ze doodmoe tegen hem aan, totaal uitgeput.

"Lucht dat op?" vroeg Ruben zacht.

Ze knikte zonder hem aan te kijken, haar ogen rood en gezwollen. In haar hals zaten rode plekken en haar haren plakten vochtig tegen haar voorhoofd aan.

"Ik voel me nu helemaal leeg van binnen."

"Het is goed dat je het er eens uitgegooid hebt. Je houding de laatste dagen was onnatuurlijk."

Ruben streelde over haar haren. Ondanks haar weinig florissante uiterlijk was ze hem nog nooit zo lief geweest. Op dit moment besefte hij goed hoe ontzettend veel hij van haar hield. Hij had er alles voor over om haar te helpen, als hij maar wist hoe. Hij had zich nog nooit zo machteloos en hulpeloos gevoeld als de laatste week. Zijn hele hart ging naar haar uit.

"Ik ben verkracht," zei Michelle ineens hardop in de stille kamer. Het was voor het eerst dat ze dit zo openlijk zei.

Ruben knikte. "Het moet een afschuwelijke ervaring geweest zijn," zei hij voorzichtig. "Was je erg bang?"

"Doodsbang." Michelle huiverde. "Hij stond ineens voor me, vanuit het niets. In eerste instantie was ik blij dat ik iemand zag om de weg aan te vragen. Maar toen..." Ze stokte. Ruben zei niets. Het leek hem goed voor de verwerking als ze er eindelijk over praatte en hij was bang dat Michelle zich weer in zichzelf zou keren als hij teveel vragen zou stellen. Het verhaal moest uit haarzelf komen.

"Hij pakte mijn hand en legde die op zijn kruis met de opmerking dat ik daar vast en zeker wel de weg zou kennen. Toen lag ik ineens op de grond en zat hij bovenop me. Ik heb nog nooit zo hard gevochten in mijn leven, maar hij was sterker. Ik kon geen kant op."

Ruben verstrakte. Pure haatgevoelens stegen in hem op en het kostte hem de grootste krachtinspanning om te blijven zitten.

Bijna emotieloos vertelde Michelle verder. Ze verwoordde nu tot in detail wat er die ene avond was gebeurd.

"Het was zo'n enorme vernedering," eindigde ze zacht. "Hij liet me daar gewoon liggen, als één of ander waardeloos vod. Een nutteloos gebruiksvoorwerp waar je genoeg van hebt en wat dus afgedankt mag worden. Alles deed pijn en ik durfde niet te bewegen uit angst dat hij terug zou komen om zijn karwei af te maken." Weer huiverde ze. "Ik was er van overtuigd dat hij me zou vermoorden. Ik heb zijn gezicht gezien, ik kan hem zo aanwijzen als het moet, dat leek me reden genoeg voor hem om me te wurgen, zodat hij geen risico loopt dat ik ooit tegen hem ga getuigen."

"Hij zal de ervaring hebben dat zijn dreigementen het gewenste effect hebben," zei Ruben grimmig. "Jij zal ongetwijfeld niet zijn eerste slachtoffer zijn, Michelle. Als anderen voor jou ook geen aangifte hebben gedaan uit angst, is dat voor hem reden genoeg om aan te nemen dat het dit keer ook niet zal gebeuren. Het wordt tijd dat er iemand tegen hem opstaat om die arrogantie af te straffen."

"Jij wilt nog steeds dat ik naar de politie stap," begreep Michelle.

"Ja. Zowel om hem zijn straf niet te laten ontlopen, als voor jezelf," antwoordde Ruben ernstig. "Vraag me niet waarom, want ik heb geen enkele ervaring op dit gebied, maar het lijkt me beter. Dan doe je tenminste iets, dan sta je op en toon je dat je niet met je laat sollen. Ook al komt er geen veroordeling uit voort, dan heb je voor jezelf tenminste het gevoel dat je actie hebt ondernomen en dat je niet zomaar een willoos slachtoffer bent."

"Maar dan ben ik wel een doelwit voor zijn wraak."

Ruben kuste haar op haar wang. "Als je niet durft, moet je het niet doen. Je moet er zelf volledig achter staan."

"Dank je," zei Michelle geëmotioneerd. Het betekende veel voor haar dat hij dit nu zei en geen pogingen deed haar tegen haar wil in over te halen, zoals hij al een paar keer had geprobeerd. "Misschien dat ik er ooit aan toe ben, maar nu nog niet."

Ruben ging daar wijselijk niet op in. Dit was al een hele verbetering ten opzichte van een week geleden, toen ze het resoluut geweigerd had. Hij kon alleen maar hopen dat Michelle dit punt ooit zou bereiken.

HOOFDSTUK 6

Na die uitbarsting ging het beter met Michelle, al bleef de angst diep in haar zitten, vast geworteld in haar hart en ziel. Ze ging nog steeds niet graag in haar eentje naar buiten. Dat was iets waar ze zich iedere keer echt toe moest zetten, maar ze deed het wel. Ze weigerde langer slachtoffer te blijven. Buiten hield ze haar hoofd zelfs fier rechtop en niemand merkte dat op dergelijke momenten haar hart in haar keel klopte. Steeds als ze weer veilig thuis was, voelde ze een intense opluchting. 's Avonds bleef ze binnen. De avonden waarop Ruben niet thuis was besteedde ze altijd vaak aan bezoekjes aan vrienden of familieleden, maar dat durfde ze nog niet aan. Dat zei ze overigens tegen niemand. Ze nodigde simpelweg mensen bij haar thuis uit, zodat het niet zo opviel. Alleen Ruben en Louise prikten daar doorheen. Die kenden haar zo goed dat haar glazen masker op hen geen effect had. Ze pushten haar overigens nergens toe. Allebei meenden ze dat Michelle dit op haar eigen manier moest doen. Niemand kon zich echt inleven in wat ze doorstaan had, dus konden ze ook geen adviezen geven over hoe ze het moest verwerken, vonden ze. "Ik vind het knap van je," zei Louise op een avond. Dave was aan het werk en Tessa sliep onder de hoede van Beatrice, dus was ze met een fles wijn naar Michelle getogen, wetende dat Ruben op de sportschool was. "Die eerste dagen was ik bang dat je volledig in zou storten. Je deed zo krampachtig je best alsof er niets aan de hand was, dat moest haast wel fout gaan. Nu heb ik alleen maar bewondering voor de manier waarop je je er doorheen slaat."

"Voelde ik dat zelf ook maar zo," zei Michelle somber. Ze nam een glas wijn van Louise aan en keek er peinzend naar. "Ik word nog regelmatig overvallen door angst."

"Dat lijkt me alleen maar logisch. Het is niet niks wat je hebt meegemaakt, zoiets heeft een enorme impact. Gelukkig kan ik niet uit eigen ervaring spreken, maar ik ben ook een vrouw en kan me er wel iets bij voorstellen. Denk je niet dat die angst minder zal worden als je weet dat die man opgesloten zit?"

"Jij lijkt Ruben wel," reageerde Michelle vinnig. "Jullie willen me allebei een hoek in duwen waar ik niet wil zitten."

Louise schudde haar hoofd. "Nee, dat is niet waar. Ik vraag me alleen af of het geen verschil zou maken voor je gevoelens. Het lijkt mij dat je nu doodsbang bent om hem weer tegen te komen."

"Dat is ook zo," zei Michelle na een korte stilte eerlijk. "Op straat kijk ik voortdurend om me heen, beducht op het feit dat hij ineens voor me kan staan. Als ik aangifte tegen hem doe zal dat echter niet minder worden. Integendeel zelfs. Stel je voor dat hij zijn bedreigingen uitvoert…" Er sloeg een huivering door haar lichaam, zoals steeds als ze daaraan dacht. Helaas was dat maar al te vaak. Ze nam een slok van haar wijn en trok een vies gezicht. Bah, wat een slootwater! Het gebeurde niet vaak dat witte wijn haar niet smaakte, maar deze vond ze echt niet lekker. Snel schoof ze het glas van zich af. "Hebben jullie het druk?" vroeg ze aan Louise, bewust van onderwerp veranderend. De verkrachting lag inmiddels bijna twee maanden achter haar en ze kreeg er schoon genoeg van om er steeds weer over te praten.

"Op dit moment valt het mee," ging Louise eropin. "Maar dat is over een week wel anders, zo vlak voor de feestdagen. We hebben stapels bestellingen liggen."

"En toch een vrije avond gekregen van je baas?" plaagde Michelle.

"Ik heb een aardige werkgever," grijnsde Louise. "Dat heb je als je alles vers maakt, dan kun je niets van tevoren doen. Het nadeel daarvan is dat het bij ons altijd hollen of stilstaan is, zeker nu. Volgende week heb ik echt geen minuut tijd voor je, dan weet je dat vast."

"Bij mij is de grootste drukte al achter de rug. Die ligt altijd eind november, begin december, dan bestellen de mensen massaal hun cadeaus voor de feestmaand," vertelde Michelle. "Ik heb lamme handen van het inpakken. Van nu tot aan de kerst is het ook wel drukker dan normaal, maar niet zo hectisch als de afgelopen weken het geval is geweest."

Louise schonk zichzelf nog een wijntje in. "Drink eens door," spoorde ze haar vriendin aan.

"Nee, dank je. Ik vind hem niet lekker."

"Niet?" Verbaasd trok Louise haar wenkbrauwen op. "Deze wijn heb ik wel vaker meegenomen en ik heb je er nog nooit over horen klagen."

"Dan zal het wel aan mij liggen. Ik heb momenteel nergens echt trek in. Misschien ligt er een griepje op de loer."

"Je bent ook afgevallen," zei Louise met een blik langs Michelle's lichaam.

Michelle knikte. "Klopt. Ik merkte het gisteren aan een spijkerbroek die me eigenlijk te strak is, maar die zo leuk staat dat ik hem toch af en toe aantrek. Deze keer kreeg ik hem moeiteloos dicht." Ze lachte wrang. "Geen beter dieet dan een verkrachting, blijkbaar."

"Hè bah, wat een rotopmerking." Louise stond op omdat de bel ging. Ze zag dat Michelle schrok van het onverwachte geluid. Onwillekeurig keek ze eerst door het raam om te kijken wie er voor de deur stond. Het was Carla, Michelle's directe buurvrouw.

"Ha lekker, wijn. Schenk voor mij ook een glas in," zei ze meteen. Ze liet zich naast Michelle op de bank zakken. "Ik verveelde me."

"Heb je momenteel geen vriendje aan de hand?" vroeg Louise half plagend, half ernstig. De vele mannen die regelmatig bij Carla over de vloer kwamen waren berucht in de buurt.

"Nee. Het is uit met Kenneth. Heel even dacht ik dat hij wel eens de ware man kon zijn, maar dat viel tegen."

"Ben jij werkelijk op zoek naar de ware dan?" verbaasde Michelle zich. "Dan ben je wel grondig aan het zoeken."

Ze schoten alle drie in de lach, Carla nog wel het hardst. Ze schaamde zich absoluut niet voor haar levensstijl, al werd die door veel mensen losbandig of zelfs smerig genoemd. Het was haar leven en dat leidde ze zoals ze zelf wilde.

"Niet echt op zoek, maar je weet nooit hoe het loopt," ging ze toen serieus op Michelle's opmerking in. "Ik blijf bij een man zolang hij me bevalt. Soms is dat maar een paar dagen, soms enkele maanden. Misschien loop ik er ooit nog wel eentje tegen het lijf die me een leven lang kan boeien."

"Dat lijkt me een onmogelijke opgave," dacht Louise terwijl ze nog een rondje inschonk. Voor Michelle pakte ze een glas vruchtensap. "Een man die jou langer dan een half jaar kan boeien moet aan zoveel eisen voldoen, die bestaat vast niet."

"Gelukkig zijn ze al aardig ver in het ontwikkelen van robots," grijnsde Carla. "Dan neem ik straks gewoon een robotman. Dat lijkt me echt ideaal. Je programmeert hem zoals je hem wilt hebben zonder dat hij daar over klaagt."

Michelle liet het gegiechel van haar vriendinnen langs zich heen glijden. Ze was niet echt in een stemming om lekker vrolijk mee te kletsen over niets. Eigenlijk wilde ze het liefst naar bed, want ze voelde zich helemaal niet lekker, maar omdat ze inmiddels uit ervaring wist dat ze toch niet kon slapen voordat Ruben thuis was, zei ze dat niet. Het was prettig om gezelschap te hebben, zeker 's avonds als het buiten donker was. Ze hoopte dat Louise en Carla bleven totdat Ruben terug was. Ze luisterde naar hen zonder zelf echt deel te nemen aan het gesprek.

Ruben kwam om half elf binnen. Hij maakte een frisse, opgewekte indruk na zijn avondje intensief sporten. Vanaf haar hoekje op de bank keek Michelle naar hem. Een lange, breedgeschouderde man met kort, donker haar, een zwarte bril en een grote mond. Zowel letterlijk als figuurlijk, dacht ze bij zichzelf. Ruben kon aardig fel uit zijn slof schieten als iets hem niet beviel. Daarbij kon hij soms erg dominant zijn, maar zij kende hem vooral als lief en zorgzaam. Haar rots in de branding, de man bij wie ze altijd terecht kon. De man waar ze ontzettend veel van hield. Binnen in haar begon er iets te roeren, een gevoel wat ze al lang niet meer had gehad. Voor die ene avond waren Ruben en zij een lichamelijk ingesteld paar geweest. Eén broeierige blik van hem was meestal al genoeg om haar lichaam te doen gloeien. Ze hadden dan ook altijd een actief seksleven gehad. Op dit moment was daar echter niets meer van over. Al bijna acht weken niet, om precies te zijn. Hij deed geen enkele poging in die richting en Michelle was zo met zichzelf bezig geweest dat ze er niet eens bij stil had gestaan. Het was niet eens in haar hoofd opgekomen, hoewel ze zeker geen aversie had ontwikkeld tegen zijn lijfelijke aanwezigheid. Ze lag 's nachts graag tegen zijn warme lichaam aan en als ze 's avonds samen op de bank zaten had hij vaak zijn arm om haar heen geslagen. Met haar hoofd op zijn borst liggen terwijl zijn armen haar vast omsloten, was nog steeds haar favoriete houding. Dichter dan dat waren ze de laatste tijd echter niet bij elkaar geweest.

Haar ogen gleden langs zijn lichaam. Ruben zag er goed uit in zijn strakke spijkerbroek met het nonchalante T-shirt erboven. De korte mouwen van het shirt spanden zich om zijn bovenarmen. Michelle zoog haar onderlip naar binnen. Ze voelde zich warm en week worden bij deze aanblik. Bijna net als vroeger. Haar leven was tegenwoordig ingedeeld in twee categorieën. Voor en na de verkrachting. Het werd hoog tijd dat ze die twee gedeeltes weer met elkaar verbond en haar leven van voor de verkrachting weer zoveel mogelijk oppakte. Niet alleen voor het oog van de buitenwereld, maar ook voor zichzelf. Ze was zo gelukkig geweest voor die ene avond. Dat wilde ze terug. Ze wilde weer de normale, vrolijke, gelukkige vrouw worden die ze voor die tijd ook was geweest. Een goede seksuele relatie hoorde daar zeker ook bij. Het initiatief daarvoor moest van haar kant komen. Ze hadden er nooit over gepraat, maar ze begreep dat Ruben geen aanstalten in die richting maakte om haar te ontzien. Dat moest maar eens afgelopen zijn, besloot ze. Ze wilde niet langer ontzien worden, ze wilde normaal zijn.

Ze zwaaide naar Louise, die haar jas aantrok en aankondigde dat ze naar huis ging. Daarna wendde ze zich tot Carla. Zij zat nog op haar gemak op de bank, zo te zien niet van plan om snel op te stappen.

"Het is al laat," zei ze weinig subtiel.

Carla knikte. "Ja, nog één wijntje, dan ga ik er vandoor." Ze hield haar glas bij, maar Michelle was niet van plan haar nog eens in te schenken. Ze had overigens kunnen weten dat Carla niet ontvankelijk was voor een dergelijke opmerking. Carla deed niet aan hinten.

"Ik wil naar bed, dus je moet naar huis," zei ze daarom ronduit. "Die fles kom je van de week maar een keer leegdrinken."

"Oké." Carla stond op en rekte zich ongegeneerd uit. Michelle ontweek de verbaasde blik van Ruben en liep met Carla mee naar de gang, zodat ze meteen de buitendeur achter haar in het nachtslot kon draaien.

"Dat was niet erg beleefd," merkte Ruben op zodra ze terug kwam in de kamer.

Michelle grinnikte. "Beleefdheidsfrases zijn niet aan Carla besteed, bij haar moet je altijd gewoon duidelijk zeggen waar het op staat. Als ik dat niet had gedaan, had ze hier over een uur nog gezeten."

"Nou ja, dat was ook niet zo erg geweest," zei hij met een blik op de klok. "Het is nog redelijk vroeg."

"Om te gaan slapen, ja, maar niet voor iets anders."

Terwijl ze dat zei liep Michelle op Ruben toe. Met haar hand streelde ze over zijn shirt.

"Dat shirt staat je goed."

"Dank je," zei hij bevreemd.

"Maar waarschijnlijk zie je er zonder shirt nog beter uit." Langzaam trok ze de onderkant van het shirt omhoog, daarna liet ze haar handen eronder glijden. Zijn buik voelde strak en gespierd aan onder haar vingers. Heel wat anders dan... Nee! Daar moest ze niet aan denken! Dit was Ruben, niet één of andere engerd die haar overmeesterde en haar gevoel van eigenwaarde af had gepakt. Michelle slikte moeizaam, proberend het gevoel van misselijkheid wat haar overviel te negeren.

Rubens adem stokte. Zijn armen sloten zich stevig om haar heen en zijn mond zocht de hare. Met zijn lippen op die van haar werd Michelle wat rustiger. Met een zucht leunde ze tegen hem aan. Zijn lichaam voelde vertrouwd tegen het hare. Ze legde haar ene hand tegen zijn achterhoofd en streelde door zijn korte haren.

"Weet je het heel zeker?" vroeg Ruben zacht. Zijn ogen waren vlakbij. Ze waren donker van verlangen, zag ze.

Michelle aarzelde voor ze antwoord gaf. Daarnet had ze het wel heel zeker geweten, nu voelde ze haar lijf echter langzaam verkrampen. Waarschijnlijk moest ze daar gewoon even doorheen, stelde ze zichzelf in gedachten gerust. Dit werd de eerste keer sinds... Nee! Die kant mocht ze absoluut niet op. Niet denken aan wat gebeurd was, ze moest zich concentreren op het hier en nu. Dit was Ruben, de man waar ze van hield. Haar echtgenoot. Hij zou haar geen pijn doen. Zonder iets te zeggen bood ze hem opnieuw haar lippen aan en met een zachte kreun sloot hij zijn mond daar omheen. Zijn handen waren ineens overal op haar lichaam. Michelle's adem stokte en ze voelde zich verstijven, maar ze wilde niet toegeven aan de angst die haar besprong. Ze dwong zichzelf zijn zoenen te beantwoorden en bedwong de neiging zichzelf los te rukken uit zijn armen.

"Laten we naar de slaapkamer gaan," klonk zijn stem hees in haar oor.

Ze knikte. Ja, in hun eigen, vertrouwde slaapkamer waar ze zo vaak samen waren geweest, voelde het vast heel anders aan. Dat was hun plekje, daar kon ze die vent vast wel uit haar hoofd bannen. Hand in hand liepen ze de trap op. Eenmaal in de slaapkamer aangekomen nam Ruben niet eens de moeite het licht aan te doen. Hij pakte haar vast, trok haar trui over haar hoofd en omvatte met één hand haar borst. Weer schoot de gedachte aan die avond door Michelle heen. Dit had hij ook gedaan. Het kostte haar enorm veel moeite om zich te realiseren dat ze thuis in haar eigen slaapkamer was en ze niet ergens buiten op de harde grond lag. De kou van die bewuste avond voelde ze weer bijna lijfelijk.

"Ik verlang naar je," kreunde Ruben.

"Ik ook naar jou," fluisterde Michelle terug.

Het was een regelrechte leugen, daar was ze zich van bewust. Het verlangen wat ze eerder die avond wel degelijk had gevoeld, was volledig verdwenen nu het moment daar was, maar ze kon en wilde nu niet terugkrabbelen. Dat zou niet eerlijk zijn tegenover Ruben. Als ze de eerste keer maar eenmaal achter de rug had, dan zou het vanzelf makkelijk worden, hoopte ze. Hier moest ze even doorheen bijten.

Ze sloot haar ogen en wenste dat het snel achter de rug zou zijn. Met haar ogen dicht verscheen echter onmiddellijk weer het gezicht van die man op haar netvlies, dus sperde ze ze wagenwijd open. Dit was Ruben, dit was Ruben. Dat zinnetje herhaalde ze steeds weer in haar hoofd, als een mantra. Ruben leidde haar naar het brede bed, wat pontificaal midden in de kamer stond. Op het moment dat hij bovenop haar ging liggen werd het Michelle te veel. Met een kreet van afschuw duwde ze hem weg.

"Niet doen, niet doen," snikte ze, haar gezicht in haar handen verbergend.

"Michelle, wat is er? Deed ik je pijn?" vroeg Ruben ongerust.

"Dat is het niet. Ik… Het…" Ze stokte. Hoe moest ze hem uitleggen wat ze voelde? Ze begreep het zelf niet eens.

Ruben had echter geen verdere uitleg nodig.

"Als je er nog niet aan toe bent, doen we het niet," zei hij rustig.

"Ik wil het wel, maar…."

"Je kunt het niet," vulde hij aan. "Dat geeft niet, schat. Ik begrijp het."

"Dan ben je de enige," zei ze wrang. "Ik begrijp mezelf niet eens. Ik hou van je, ik wil met je samen zijn. Vanavond dacht ik echt dat ik het kon."

Het bleef even stil tussen hen.

"Het geeft niet," zei Ruben toen.

"Het geeft wél," gaf Michelle heftig terug. "Die man heeft me zoveel afgenomen, dat wil ik terug. Op deze manier blijf ik zijn slachtoffer en dat gun ik hem niet. Ik wil gewoon bij je zijn, net als vroeger. Dat is toch niet teveel gevraagd?"

De tranen stroomden nu over haar wangen en Ruben veegde ze teder weg.

"Het komt echt wel weer," zei hij troostend. "Als jij vanavond die gevoelens had, is dat in ieder geval een teken dat het beter gaat met je."

"Ja, vast," smaalde Michelle. "Iedere keer als ik mijn ogen dicht-deed zag ik hem. Jouw handen voelden als de zijne. Met jouw lichaam bovenop me dacht ik dat hij het weer was. Goh, wat gaat het goed met me. Het is al twee maanden geleden, Ruben."

"Pas twee maanden," verbeterde hij haar. "Dit soort dingen heeft nu eenmaal tijd nodig en die tijd moet je jezelf gunnen zonder dat je het gaat forceren. Laat het op je af komen zoals het komt, probeer jezelf niet een bepaalde richting in te duwen."

"Maar het is niet eerlijk," huilde ze. "Ook niet tegenover jou."

"Maak je om mij nu maar geen zorgen. Natuurlijk verlang ik naar je en wil ik dat het weer als vanouds wordt tussen ons, ik zou liegen als ik zei dat het niet zo was, maar dat is nu niet het belangrijkste. Het gaat om jou. Jouw gevoelens, jouw verlangens. Jij bepaalt de grenzen. Je hoeft niet tegen jezelf te vechten ter wille van mij, daar moet je niet eens aan denken." Terwijl hij sprak dekte hij Michelle zorgzaam toe, daarna ging hij naast haar liggen. Zijn ene arm onder haar hoofd, zijn andere over haar buik heen geslagen. "Het komt echt wel weer goed. Langzaam maar zeker gaan we gewoon steeds een stapje verder, net zo lang tot je het wel durft en aankan. Ik weet zeker dat dat moment weer komt."

Michelle luisterde stil naar hem. Was zij daar ook maar van overtuigd, dacht ze somber bij zichzelf. Vanavond had ze echt gedacht dat ze eraan toe was, maar ze was met een harde klap terug in de realiteit gekomen. Ze kon het niet. Misschien zou ze het zelfs nooit meer kunnen. Het was zo'n moeizaam gevecht. Iedere keer als ze dacht dat ze een stap vooruit ging, bleek ze er twee achteruit te gaan. Ze vroeg zich serieus af of er ooit een tijd zou komen dat alles weer normaal was. Ze was bang van niet.

HOOFDSTUK 7

De feestdagen gingen rustig voorbij. Ruben en Michelle bleven eerste kerstdag thuis, de tweede dag waren ze uitgenodigd bij Louise en Dave, evenals Carla.

"Ze heeft helemaal geen familie waar ze mee omgaat," vertrouwde Louise Michelle toe. "Aan die zogenaamde vriendjes van haar heeft ze ook niets tijdens dit soort dagen."

Beatrice bracht deze dagen ook beneden door. Zij stond erop dat zowel Louise, Michelle als Carla rustig bleven zitten terwijl zij het diner verzorgde.

"Jullie werken allemaal hard genoeg, laten jullie je nu maar eens lekker verwennen," zei ze.

"Jij bent ook altijd bezig," protesteerde Louise, maar Beatrice wist van geen wijken.

"Jouw werk is koken, voor mij is het een hobby. Ik vind het heerlijk om zo'n uitgebreid maal te verzorgen voor een aantal mensen," hield ze vol.

Uiteindelijk liet Louise zich die zorgen maar heerlijk aanleunen. Na alle diners, hapjes en taarten die ze de afgelopen week had bereid was het inderdaad wel prettig om een dag niet in de keuken te hoeven staan, daar had haar schoonmoeder wel gelijk in.

Michelle vermaakte zich voornamelijk met de kleine Tessa. De baby was inmiddels bijna een jaar en werd al een echte peuter. Ze zette aarzelend haar eerste stapjes langs de rand van de tafel, om op de grond te ploffen zodra ze het tafelblad losliet. Het was een koddig gezicht. Wat was zo'n kind toch een heerlijk, rijk bezit, dacht Michelle weemoedig bij zichzelf. Als dat geluk toch ook eens voor Ruben en haar was weggelegd! Maar dan zouden ze toch eerst weer met elkaar naar bed moeten en tot die stap had ze zichzelf nog steeds niet kunnen bewegen. Aarzelend ging ze steeds een stapje verder, maar die laatste barricade was nog te hoog voor haar. Ruben toonde een eindeloos geduld op dat gebied, maar Michelle was bang dat daar ooit een einde aan zou komen. Drie maanden geen seks was lang voor een gezond mens en ze vreesde dat het eind van die periode nog niet in zicht was. Nog steeds verkrampte ze als zijn handen haar lichaam verkenden. Als ze echt een kind wilde, zou ze zich daar toch overheen moeten zetten. Dat besef was er wel, maar was niet genoeg om de hindernis daadwerkelijk te nemen. Maar toch, zo'n kindje van henzelf... Michelle kon er intens naar verlangen. Misschien dat ze dan weer echt gelukkig zou kunnen zijn, met een baby in haar armen. Zo'n volledig afhankelijk mini mensje, waar ze al haar zorgen en liefde aan kwijt zou kunnen. Het was nog steeds haar liefste wens, zelfs naast alles wat haar de laatste tijd zo in beslag nam en de verwerking daarvan. Het diner deed ze die avond geen eer aan, ook niet na herhaaldelijk aandringen van Beatrice dat ze nog eens op moest scheppen.

"Het smaakt heerlijk, maar ik heb geen honger," verontschuldigde ze zich.

"Je volgt zeker zo'n modern dieet," mopperde Beatrice. "Ik begrijp niet dat jullie jonge vrouwen allemaal zo nodig mager willen zijn. Je bent gewoonweg vel over been."

Het was Carla die de aandacht afleidde door over haar nieuwste verovering te praten, een man die ze via internet had leren kennen en met wie ze afgesproken had elkaar na de feestdagen te ontmoeten.

"Vast een getrouwde man," schimpte Beatrice meteen. "Via dat internet doen ze zich allemaal veel beter voor dan ze echt zijn. Kijk maar uit."

"Het komt vast wel goed. Ik heb de nodige ervaring met mannen," zei Carla met een knipoog naar Michelle.

"Een beetje teveel, volgens mij," mompelde Beatrice afkeurend voor ze opstond om het dessert uit de keuken te halen.

Het gebruikelijke gemopper van Beatrice kon de stemming niet bederven. Het werd een gezellige dag, toch was Michelle blij toen hij achter de rug was. Ze was moe en voelde zich niet lekker. Ondanks de dikke trui die ze droeg had ze het voortdurend koud. Oudejaarsavond liet ze dat jaar aan zich voorbijgaan, hoewel ze diverse uitnodigingen hadden gekregen. Ze had er geen zin in en miste de puf om net te doen alsof. Ze bleven die avond dus thuis. Ruben had oliebollen en appelflappen gehaald, maar Michelle kreeg er geen hap van door haar keel.

"Dit is niet normaal," zei Ruben op een gegeven moment nadat ze met moeite had geprobeerd een oliebol te eten, maar direct daarna misselijk werd. "Beatrice had gelijk, je wordt veel te mager. We gaan overmorgen naar de dokter."

"Alsof die er iets aan kan doen dat ik geen trek in eten heb."

"Misschien kan hij iets voorschrijven waardoor je lust in eten terugkomt. Ik weet het niet, Michelle, maar dit gaat zo niet langer."

"Zo vreemd is het niet dat eten me niet smaakt. Het zal wel psychisch zijn," meende Michelle.

"Dan geeft hij daar maar een pilletje voor," zei Ruben resoluut.

De ochtend van twee januari belde hij meteen hun huisarts. De assistente meldde hem dat ze om kwart voor elf langs kondekomen. Daarna belde hij zijn werk dat hij die dag niet kwam, ondanks de protesten van Michelle.

"Je hoeft mijn hand niet vast te houden, ik kan heel goed zelf naar een dokter toe," zei ze korzelig.

"Niet zeuren, ik ga met je mee," zei hij echter.

"Als je maar niet denkt dat ik ga vertellen wat me overkomen is."

Ruben zuchtte licht. Dat was nou net wel zijn bedoeling. Michelle was hard bezig overspannen en ondervoed te raken. Op zich niet vreemd na wat ze had meegemaakt, maar geen enkele arts kon haar helpen als hij de oorzaak niet wist.

"We zien wel hoe het gesprek loopt," hield hij een slag om de arm. "Misschien kun je volstaan met te zeggen dat je een traumatische ervaring hebt opgedaan, zonder dat je in details hoeft te treden."

"Ik begrijp sowieso niet wat ik bij een dokter moet doen," mopperde Michelle verder. "Je roept zelf steeds dat ik het de tijd moet geven."

"Hou nou eens op met zeuren," viel Ruben uiteindelijk uit. "We gaan en daarmee uit!"

Michelle hield verder wijselijk haar mond dicht. Ruben werd niet snel kwaad, zeker niet op haar, maar als hij het werd was het niet verstandig om tegen hem in te gaan, wist ze. Dat leverde alleen maar discussies op die nergens toe leidden en die ze toch niet kon winnen.

Het was rustig in de wachtkamer. Na slechts een paar minuten werden ze al naar binnen geroepen.

"Wat kan ik voor jullie doen?" vroeg de huisarts, dokter Fransen, joviaal. Michelle was al sinds haar zestiende patiënt bij hem, vanaf het moment dat hij deze praktijk over had genomen. Hoewel ze niet vaak iets mankeerde en dus ook niet veel op het spreekuur verscheen, had hij haar op zien groeien van een verlegen tiener tot een zelfstandige, jonge vrouw. Een jonge vrouw die er momenteel slecht uitzag, registreerde hij.

"Michelle voelt zich niet goed," nam Ruben het woord omdat Michelle stug bleef zwijgen. "Ze slaapt slecht, heeft geen trek in eten, is snel moe en voelt zich beroerd."

"Dat klinkt niet best. Hoe lang heb je deze symptomen al?" Over zijn bril heen keek dokter Fransen haar vorsend aan.

Michelle schokte met haar schouders. "Een tijdje," antwoordde ze vaag.

"Praten we dan over dagen, weken of maanden?"

"Een maand of twee, tweeënhalf," zei Ruben. Twee maanden, een week en drie dagen, dacht hij bij zichzelf.

"Koorts?"

Michelle schudde haar hoofd.

Fransen pakte een formulier en vulde daar iets op in.

"Laten we maar beginnen met een algeheel bloedonderzoek, dat kan nooit kwaad. Is er een mogelijkheid dat je zwanger kunt zijn?"

Michelle schoot met een ruk overeind. Deze woorden kwamen harder bij haar aan dan een klap met een hamer gedaan zou hebben. Heel haar wezen kwam er tegen in opstand.

"Nee!" Ze schreeuwde dat woord door de spreekkamer. "Nee, absoluut niet!"

De arts keek haar verbaasd aan.

Ruben pakte Michelle's hand vast. "Jawel, die mogelijkheid is er wel," zei hij rustig, maar met een bleek vertrokken gezicht.

"Nee Ruben. Dat is het niet. Alsjeblieft niet." Ze begon te huilen.

"Ik kan niet zwanger zijn. Dat wil ik niet."

"Tussen willen en kunnen zit een wereld van verschil," merkte Fransen op. Hij keek van de één naar de ander.

"Het kan niet," hield Michelle vol terwijl de tranen over haar gezicht liepen. Ze keek Ruben smekend aan.

"Wat is hier precies aan de hand?" vroeg Fransen nu. "Dit is geen normale reactie."

Michelle boog haar hoofd en zweeg. Het was Ruben die de dokter vertelde wat er gebeurd was.

"Vlak daarvoor is ze gestopt met de pil," eindigde hij zijn verhaal.

"Die mogelijkheid van een zwangerschap is dus wel degelijk aanwezig, al hebben we daar niet aan gedacht." Hij slikte moeizaam. De hand waarmee hij Michelle niet vasthad trommelde nerveus op het blad van de tafel voor hem.

"Laten we dat dan eerst maar onderzoeken, dan hebben jullie op dat vlak tenminste zekerheid," zei Fransen kordaat. "En hopelijk geruststelling." Hij pakte een test uit de la en overhandigde die aan Michelle. Met gebogen hoofd verdween ze in het toilet. Zwanger, zwanger. Het woord hamerde in haar hoofd. Met afschuw keek ze naar de test in haar handen. De vage misselijkheid van die ochtend werd met de seconde erger bij alleen de gedachte aan de mogelijkheid dat ze het kind droeg van die man. Als het inderdaad zo was, wilde ze het niet eens weten, zo'n afkeer voelde ze. Heel even overwoog ze om de test onder de kraan te houden, zodat de uitslag in ieder geval negatief zou zijn. Dan kon ze het misschien van zich afzetten. In ieder geval kon ze dan net doen alsof er niets aan de hand was. Van de test in haar handen keek ze naar de kraan boven de wastafel. Het was verleidelijk. Maar dan? Stel dat het waar was, dan kon ze er niet aan ontkomen door haar hoofd in het zand te steken. Ooit moest ze dan toch de waarheid onder ogen zien, dat was onvermijdelijk.

Zuchtend ging ze toch het toilethokje in, waar ze deed wat ze moest doen. Zonder haar huisarts of Ruben aan te kijken gaf ze de test even later terug. Fransen legde hem opzij in afwachting van de uitslag.

"Ben je na de verkrachting naar het ziekenhuis gegaan voor onderzoek?" vroeg hij op zakelijke toon.

"Nee," antwoordde Michelle bijna onhoorbaar. "Ik wilde niet... Ik..."

"Die man heeft haar bedreigd als ze de politie erbij zou halen," nam Ruben het van haar over. "Michelle was bang dat het ziekenhuis de politie in zou lichten."

"Begrijpelijk, maar helaas niet verstandig. Behalve een zwangerschap heb je ook andere risico's gelopen," zei Fransen ernstig. "Op een geslachtsziekte bijvoorbeeld."

"Ik hoop dat dat het is," zei Michelle ineens hard. "Het kan me niet schelen welke ziekte, als ik maar niet... Niet..." Ze kreeg het woord niet eens haar mond uit.

"Het spijt me," zei Fransen echter met een blik op de test. De uitslag was onmiskenbaar positief, hij kon er niets anders van maken. "Je bent inderdaad in verwachting."

Michelle kreunde. Ze trok spierwit weg en zakte iets onderuit in haar stoel. Kwam er dan echt nooit een einde aan haar nachtmerrie? Het was zo wrang. Ze wilde niets liever dan een kind, maar niet op deze manier. Niet dit kind. "Het kan ook van mij zijn," zei Ruben zacht, alsof hij haar gedachten kon lezen.

"Nee." Ze schudde haar hoofd. "Dat is het niet, dat voel ik." Met weerzin keek ze omlaag naar haar buik.

"Wanneer was je laatste menstruatie?" vroeg Fransen.

Ze haalde hulpeloos haar schouders op. "Dat weet ik niet precies. Ik was net gestopt met de pil, daarna is het nooit echt op gang gekomen."

"Hebben jullie daarna samen nog gemeenschap gehad?"

"In het begin wel. Na de verkrachting niet meer," zei ze kleintjes.

"Dan is er theoretisch inderdaad een kans dat de baby van Ruben is," merkte Fransen op. "Met een echo kunnen we de duur van de zwangerschap vaststellen."

"Dat is voor mij niet nodig, ik weet het al," zei Michelle echter stellig. "Als de baby van Ruben is, zou ik me heel anders voelen."

"Dat kun je niet weten," zei Ruben.

Ze keek hem alleen maar aan, gaf daar geen commentaar op. Voor Michelle stond het vast dat de baby van die man moest zijn. Haar verkrachter. Ze rilde. Dat woord klonk zo afschuwelijk. Als ze aan hem dacht was het altijd in termen van 'die man' of 'hij'. Hoewel ze een kwartier geleden nog niet eens had geweten dat ze zwanger was, was ze ervan overtuigd dat 'hij' de verwekker van het kind in haar buik was. Ze wist het zo zeker alsof het haar verteld was. Die wetenschap werd later bevestigd bij de echo die ze op aandringen van Ruben liet doen.

Fransen had ervoor gezorgd dat ze diezelfde middag nog in het ziekenhuis terecht kon voor het onderzoek.

"Bijna tien weken," vertelde de assistent die de echo uitvoerde.

Zijn stem klonk opgewekt, niet wetende welk effect zijn mededeling op dit echtpaar had. Met opgetrokken wenkbrauwen keek hij van Michelle naar Ruben. Michelle had haar gezicht afgewend om het kindje op het scherm niet te hoeven zien. Dat was te confronterend. Ruben zag spierwit. Hij staarde juist wel naar het beeldscherm, met grote, holle ogen. "Alles ziet er gezond uit, hoor," voegde de assistent aan zijn woorden toe. "Voor zover ik dat op dit moment kan beoordelen, krijgt u een kerngezond kind." Met bedorven genen, dacht Michelle grimmig bij zichzelf. Ze kon het nog net opbrengen om de man te bedanken. Hij wist tenslotte nergens van, hij had alleen de opdracht gekregen een echo te maken om de zwangerschapsduur te bepalen. De man keek hen lang na door de ziekenhuisgang. Hij vroeg zich af wat deze vreemde reactie te betekenen had. Over het algemeen zag hij hier alleen maar dolgelukkige aanstaande ouders, die gretig het beeldscherm afzochten naar herkenningspunten van hun kind. Zelfs ouders bij wie de zwangerschap niet gepland was, reageerden niet zo bevroren als dit stel.

Michelle en Ruben liepen zwijgend naar buiten. Ondanks het koude weer namen ze als bij afspraak plaats op het bankje voor het ziekenhuis.

"Doe je jas goed dicht, het is koud," waarschuwde Ruben nog bezorgd, maar Michelle lachte cynisch.

"Het ergste wat me kan gebeuren is dat ik ziek word en een miskraam krijg."

"Niet zo sarcastisch doen. Alsjeblieft." Hij ging dicht tegen haar aan zitten, zijn armen om haar heen en zijn hoofd op haar schouder. "Ach Michelle toch, ik had je dit zo graag willen besparen.

Bijna tien weken, zei hij. We weten allebei wat dat betekent."

"Dat wist ik al zodra ik die test deed vanochtend." Michelle's gezicht stond emotieloos, maar binnen in haar stormde het.

"En nu?" Ruben vroeg het fluisterend.

"Ik wil dit kind niet," antwoordde Michelle zonder enige aarzeling.

"Dat kun je niet zomaar even in een split second beslissen."

"Deze beslissing heb ik genomen op het moment dat Fransen zei dat de test positief was. Ik hoef er geen seconde over na te denken, Ruben."

"Wacht nou even." Ruben pakte nu allebei haar handen vast, zijn gezicht was vlak bij het hare. "Je bent emotioneel en dat is logisch. Maar ik kan me niet voorstellen dat je geen problemen krijgt als je een abortus uit laat voeren. Jij bent fel tegen abortus. Het is een leven wat je in je draagt, geen zielloze pop. Dat zijn je eigen woorden, Michelle. Ik heb ze je vaker horen zeggen."

"Zo denk ik er over voor vrouwen die jong en gezond zijn, maar bij wie het krijgen van een kind even niet uitkomt," sprak Michelle tegen. "Dit is een heel ander geval, dat moet je toch met me eens zijn. Ga me niet vertellen dat jij staat te juichen bij deze ontwikkelingen."

"Natuurlijk niet, maar het gaat me om jou. Als jij dit kind wilt krijgen sta ik daar achter. Ik zal er van kunnen houden omdat het van jou is," zei hij ernstig.

"Ik niet." Haar stem klonk ijskoud. "Ik ben me er heel goed van bewust dat dit kind onschuldig is, maar ik zal er nooit naar kunnen kijken zonder die man te zien. Laat staan dat ik het kan verzorgen en vast kan houden. Als ik mijn ogen dicht doe zie ik hem al voor me, als dat ook nog gaat gebeuren als ik naar mijn kind kijk zal ik dat niet kunnen verdragen. Als het een jongetje is en hij lijkt op hem...." Ze stokte, maar Ruben begreep wat ze wilde zeggen.

"We doen wat jij wilt," zei hij rustig. "Als het maar geen overhaaste beslissing is, genomen in de hectiek van het moment."

Michelle schudde haar hoofd. "Absoluut niet, ik ben hier heel zeker van. Ik voel een enorme weerzin naar mijn eigen lichaam toe, nu al. Ik haat die man voor alles wat hij me laat doorstaan. Abortus zou normaal gesproken mijn laatste keus zijn, maar in dit geval kan ik niet anders. Als ik het niet doe word ik de rest van mijn leven aan hem herinnerd. Er moet een einde aan komen, Ruben, het liefst zo snel mogelijk. Misschien dat ik het na een abortus wel af kan sluiten."

Ruben knikte, maar hij dacht er het zijne van. Wat Michelle zei kon hij alleen maar hopen. Diep in zijn hart was hij wel opgelucht dat ze dit besluit genomen had. Als ze het kind had willen houden was hij daar in meegegaan en had hij de vaderrol op zich genomen, maar hij wist van tevoren dat het hem grote moeite zou kosten om van dit kind te houden, alle verstandelijke beweringen dat het kind onschuldig was ten spijt. De realiteit van deze zwangerschap stond wel heel ver af van hun wens om een kind te krijgen.

"Oké, ik ga straks Fransen bellen om de uitslag door te geven. In deze omstandigheden zal hij ongetwijfeld wel een spoedafspraak voor je willen maken," zei hij terwijl hij opstond en haar overeind hielp. "Kom, we gaan naar huis."

"Nee, we gaan naar het politiebureau," zei Michelle. Ze was de laatste maanden ten prooi geweest aan allerhande gevoelens van verdriet, ellende, pijn, angst en vernedering. Voor het eerst kwam daar nu ook woede bij. Een niets ontziende woede tegen de man die haar leven verwoest had en die haar dwong om iets te doen waar ze in normale omstandigheden nooit achter zou kunnen staan. Een woede die groter was dan haar angst.

"Wat bedoel je?" vroeg Ruben verward.

Ze keek hem aan, haar ogen fonkelden van kwaadheid, er lag een vastberaden trek op haar gezicht. "Ik ga die schoft aangeven. Hij zal boeten voor wat hij me heeft aangedaan."

HOOFDSTUK 8

Op het politiebureau werden ze te woord gestaan door een rechercheur die bedenkelijk keek na haar verhaal.

"Dit is twee maanden geleden gebeurd, zei u? Dan wordt een onderzoek heel moeilijk. Natuurlijk kunt u aangifte doen, maar in dit geval wordt het uw woord tegen het zijne. Sporenonderzoek of DNA onderzoek is na zo'n tijd niet meer mogelijk," zei hij. "Als u meteen was gekomen en medisch was onderzocht, was het een ander verhaal geweest. Dan hadden we bewijzen tegen hem."

Michelle knikte. "Dat besef ik. Toch wil ik aangifte doen."

"Dat is waarschijnlijk geen slecht idee. Als er meerdere aangiftes komen die dezelfde man blijken te betreffen, staan we sterker. Ik ga in ieder geval even nakijken of er uit diezelfde buurt meer meldingen zijn gekomen." De rechercheur zette zijn computer aan en klikte een aantal keren, daarna schudde hij zijn hoofd. "Nee. Wat uiteraard niet wil zeggen dat we uw verhaal niet serieus nemen," voegde hij er haastig aan toe toen hij zag dat de gezichten van het echtpaar tegenover hem betrokken. "Ik ga in ieder geval een verslag schrijven."

Weer moest Michelle het hele verhaal vertellen, tot in ieder detail. Het kostte haar nu minder moeite, ontdekte ze. Inmiddels had ze er vaker over gesproken en dat bleek toch te helpen. Haar plotseling opgestoken woede tegenover de man was daar ook debet aan. Haar kwaadheid won het op dat moment van haar emotie, zodat ze haar verhaal redelijk rustig kon doen, zonder in tranen uit te barsten. Daarbij had ze het geluk dat ze een rechercheur trof die geduldig luisterde, geen oordeel velde en haar op haar gemak wist te stellen. Op dat gebied had ze ook wel eens andere verhalen gehoord, dus ze was behoorlijk strijdlustig binnen gekomen. Die strijdlust verdween bij het zien van het meelevende gezicht van de man tegenover haar.

"Denkt u dat u hem nog herkent?" vroeg hij nadat alles genoteerd stond.

"Absoluut," antwoordde Michelle zonder aarzelen. "Als ik mijn ogen dicht doe, zie ik hem zo voor me. Hij heeft ook een herkenbaar gezicht, met typische kenmerken. Dat vergeet ik mijn hele leven niet meer. Juist omdat hij geen doorsnee uiterlijk heeft, was ik ontzettend bang dat hij me zou vermoorden. Het maakt de herkenningskans groter, ook al was het aardedonker. Ik zag hem even heel goed bij het licht van mijn mobiele telefoon."

"In dat geval laat ik u wat foto's zien ter identificatie. Wellicht betreft het iemand die al bekend staat bij ons." De rechercheur pakte enkele mappen en legde die voor Michelle neer. "Neem rustig uw tijd, dan haal ik iets te drinken."

Michelle bladerde snel door de mappen heen. Ze wist zijn gezicht nog zo goed uit haar hoofd dat ze steeds aan een korte blik genoeg had om vast te stellen dat de foto's die ze zag niet van hem waren. Halverwege de tweede map was het echter raak. Zodra ze de pagina omsloeg zag ze het al. Dit was hem, daar twijfelde ze geen halve seconde over. Dat pafferige gezicht, de brede neus, de smalle, bloedeloze lippen en de moedervlek op zijn rechterwang. Kenmerken die regelmatig in haar dromen opdoken en die haar altijd bij zouden blijven.

"Deze," zei ze beslist terwijl ze met haar wijsvinger op de foto tikte. "Dit is hem, zeker weten. Op deze foto is het niet te zien, maar hij mist ook nog een voortand."

De rechercheur keek naar de betreffende foto en trok een bedenkelijk gezicht.

"Dit weet u heel zeker?"

"Tweehonderd procent," zei Michelle beslist.

"Zijn er redenen om aan haar verklaring te twijfelen?" vroeg Ruben nu.

"Dat niet, maar een aangifte tegen deze man heeft niet veel
nut. Hij leeft niet meer," was het verrassende antwoord. Weer
klikte de man iets aan op zijn computer terwijl hij zijn ogen op
het scherm gericht hield. "Ja, hier heb ik het. Eind oktober is hij
verdronken. Het alcoholpromillage in zijn bloed was aanzienlijk
hoger dan toegestaan. Het is volop op het lokale nieuws geweest
omdat we in eerste instantie niet wisten om wie het ging. Hij
droeg geen identificatie bij zich."

"We hebben die dagen geen nieuws meegekregen, we hadden wel
iets anders aan ons hoofd," merkte Ruben op. "Welke datum was
het?"

"Zevenentwintig oktober."

Michelle en Ruben keken elkaar aan.

"De avond van de verkrachting," zei Michelle. "U wilt dus werkelijk zeggen dat hij mij eerst heeft verkracht en daarna in het water
terecht is gekomen met zijn dronken kop?" Ze begon te lachen,
een harde, schrille lach die weerkaatste tegen de muren van het
kleine kamertje waar ze zaten. "Over een directe straf gesproken.
Als ik dat had geweten, had ik mezelf heel wat angst kunnen besparen. Ik ben al die tijd zo bang geweest dat hij me zou vinden."
Haar gelach ging over in gesnik. De rechercheur overhandigde

haar zwijgend een bekertje water, waar ze slechts met de grootste moeite een slok van kon nemen. Er sloeg een golf van opluchting door haar lichaam heen, iets waar ze zich tegelijkertijd schuldig over voelde.

"Ik voel die opluchting ook," zei Ruben later nadat ze het politiebureau hadden verlaten en ze haar gevoelens voorzichtig aan hem kenbaar maakte. "Misschien is het keihard, maar ik kan alleen maar blij zijn dat hij je niets meer aan kan doen."

"Maar dit is wel erg drastisch." Michelle huiverde. "Hij was toch ook een mens. Wellicht heeft hij familieleden die om hem treuren."

"Daar kan ik me eigenlijk niet zo druk om maken, ik heb meer dan genoeg aan mijn eigen gevoelens," weerlegde Ruben dat grimmig. "Jij bent niet de enige die al maanden geen rustig moment kent, Michelle. Ik ben voortdurend bang geweest dat hij weer op zou duiken, hoe dan ook. Jij was bang dat hij je op zou komen zoeken, maar is het ooit in je opgekomen dat je hem ook gewoon toevallig tegen had kunnen komen op straat? Dat spookte constant door mijn hoofd heen, maar ik wilde dat niet tegen je zeggen."

"Waarom denk je dat ik zo weinig buiten kom de laatste tijd?" zei Michelle met een klein lachje.

"In ieder geval kan hij je nu geen kwaad meer doen en daar kan ik alleen maar blij om zijn, treurende familieleden ten spijt," zei Ruben terwijl hij haar dicht tegen zich aantrok.

Eenmaal thuis zette Michelle meteen haar computer aan. Als dit item inderdaad op het lokale nieuws was geweest, kon ze dat op internet alsnog bekijken. Ze ging naar de site van hun lokale omroep, klikte op het archief en scrolde koortsachtig met haar muis naar de uitzending van achtentwintig oktober. Het was meteen het eerste item van de uitzending.

'Dode man aangetroffen in kanaal', luidde het commentaar van de voice over. Daarna verscheen de nieuwslezer in beeld die op zakelijke toon vertelde dat een met zijn hond wandelende man een levenloos lichaam had zien drijven, waarna hij direct de politie had ingeschakeld.

"De man droeg geen identificatie bij zich. Als u inlichtingen heeft omtrent deze man, kunt u zich wenden tot de plaatselijke politie," zei de nieuwslezer. Na deze mededeling werd er een foto van het lichaam getoond. Michelle sloeg haar hand voor haar mond. Zo zag hij er nog afschrikwekkender uit dan ze voor ogen had. De man had nog geen dag in het water gelegen, toch was hem duidelijk aan te zien dat hij geen natuurlijke dood was gestorven.

"Je hoeft niet meer bang te zijn," zei Ruben geruststellend. "Hij kan je nooit meer iets doen, je hoeft nooit meer met hem geconfronteerd te worden."

"Toch jammer dat hij niet eerst in het water is gevallen, voordat hij mij tegenkwam," zei Michelle met galghumor.

"Er zit een aantal uren tussen die twee gebeurtenissen," merkte Ruben op. "Waarschijnlijk heeft hij zich in die tijd een stuk in zijn kraag gedronken. Misschien voelde hij zich wel ontzettend beroerd na wat hij jou had aangedaan en probeerde hij dat te verdringen door het nuttigen van veel alcohol."

"Dat hoop ik," zei Michelle vanuit de grond van haar hart. "Psychologen beweren altijd dat je mensen die je iets aan hebben gedaan moet vergeven, maar ik hoop echt dat hij zich er heel erg

rot onder voelde. Zo rot mogelijk graag. Dat klinkt waarschijnlijk
niet erg menslievend, maar dat kan me niet schelen. Tenslotte kan
hij zich onmogelijk nog slechter gevoeld hebben dan ik."

Haar lichte schuldgevoel vanwege de opluchting die ze na de mededeling van de rechercheur had gevoeld, was verdwenen zodra ze
zijn gezicht op het scherm zag. Alles kwam in één keer weer in volle hevigheid bij haar terug. De angst, de pijn, de vernedering. Voor
de zoveelste keer moest ze die gevoelens weer ondergaan zonder
dat ze er iets tegen kon doen. De wetenschap dat zijn daad zulke
verstrekkende gevolgen voor haar had, nog steeds, maakte dat nog
erger. Zolang een deel van hem zich nog in haar lichaam bevond,
kon ze het niet afsluiten. Daar wilde ze zo snel mogelijk vanaf.

Die avond bekeek ze het bewuste fragment nog een aantal keren,
alsof ze zichzelf ervan moest overtuigen dat hij echt dood was.
Angst om hem tegen te komen hoefde ze in ieder geval niet meer
te hebben. Dat deel van de nachtmerrie was voorbij. Nu dat andere
gedeelte nog. Als dat ook achter de rug was, kreeg ze haar leven
misschien weer terug.

Door bemiddeling van dokter Fransen kon Michelle na een paar
dagen al in een kliniek terecht voor de abortus. De ochtend van de
ingreep werd ze met een zwaar, bonkend hoofd wakker. Daarbij
voelde ze zich ook rillerig en had ze contactpijn op haar huid, iets
waar ze altijd aan kon merken dat ze ziek begon te worden. Als ze
bukte leek het wel of haar hoofd uit elkaar barstte. Een klassieke
verkoudheid, constateerde ze. Ook dat nog!

"Voel jij je wel goed?" vroeg Ruben terwijl hij haar vorsend aankeek.

"Beetje hoofdpijn," mompelde Michelle.

"Weet je zeker dat dat alles is?"

"Hè, hou op." Met een gebaar van afkeer schoof ze haar beker thee van zich af. Ze mocht een licht ontbijt nuttigen, maar kreeg geen hap door haar keel.

"Als je ziek bent kun je de ingreep beter een paar dagen uitstellen, denk ik," ging Ruben echter verder.

"Ik heb hoofdpijn, zo vreemd is dat niet als je bedenkt wat me vandaag te wachten staat," beet Michelle fel van zich af.

Er was geen haar op haar hoofd die eraan dacht de abortus uit te stellen. Ze verlangde hevig naar het moment dat alle sporen van de verkrachting uit haar lichaam verdwenen waren. Het lichamelijke bewijs van wat die man haar had aangedaan, mocht geen minuut langer dan strikt noodzakelijk in haar lijf blijven. Ze was absoluut niet van plan daar nog langer mee rond te blijven lopen vanwege zoiets simpels als een verkoudheid, of dat nu verstandig was of niet. Uit ervaring wist ze dat het nog minstens een dag duurde voor ze koorts kreeg bij deze symptomen, dus als ze straks in de kliniek volhield dat ze zich goed voelde, kraaide er geen haan naar. Dat ze niet in haar normale doen was, was tenslotte niet vreemd.

De ingreep ging als een roes aan haar voorbij. Terwijl de arts met een echo de plaats van de vrucht bepaalde, hield Michelle haar ogen gesloten. Ruben zat ondertussen stijf van de zenuwen in de wachtkamer. Michelle had niet gewild dat hij erbij was, ze had hem gevraagd in de wachtkamer te blijven tot ze weer naar huis mocht. Dit had niets met Ruben te maken, ze had het gevoel dat ze dit alleen moest doen, al was ze wel blij dat hij met haar mee ging naar de kliniek en ze daarna niet in haar eentje naar huis hoefde te gaan. Bij de abortus zelf wilde ze hem echter niet betrekken.

Ze kreeg een roesje om de ingreep te doorstaan, maar was zo in zichzelf gekeerd dat ze dat waarschijnlijk niet eens nodig had gehad. Ze voelde geen pijn, geen emotie, helemaal niets. Dit was iets noodzakelijks wat moest gebeuren, meer niet. Ze stond er ook geen seconde bij stil dat het vruchtje wat weg werd gehaald een kind in wording was. Op die manier dacht ze er niet aan. Het was iets van die man en het moest er zo snel mogelijk uit, dat was de enige gedachte die door haar hoofd heen ging.

"Het is goed gegaan, hoor," zei een vriendelijke verpleegkundige later. Ze bette Michelle's warme gezicht met een koel washandje en knikte haar bemoedigend toe. "Hoe voelt u zich?"

"Weet niet," mompelde Michelle verward. Haar hoofd bonkte nog steeds en het leek wel of er een stapel bakstenen in zat. Bovendien was ze licht duizelig, maar aangezien ze niets gegeten had die ochtend was dat niet zo vreemd. Ze voelde dat de griep bezit begon te nemen van haar lichaam, maar ook daar maakte ze zich niet echt druk om. Het ging allemaal een beetje langs haar heen. Het belangrijkste was dat haar buik weer leeg was. Het levende bewijs van die ene avond was weg, daar ging het om. Het was een onbeschrijfelijke opluchting voor haar. De afgelopen dagen, sinds het bezoek aan haar huisarts, waren emotioneel enorm zwaar geweest, nog veel zwaarder dan de twee maanden ervoor. Nu kon ze dat tenminste achter zich laten. Een opkomende griep stelde daarbij vergeleken niets voor. Voordat ze de kliniek mocht verlaten kreeg ze een recept mee voor een antibioticakuur.

"De kuur volledig afmaken, ook als u geen klachten heeft," drukte de verpleegster haar op het hart. "Dat is bedoeld om infecties te voorkomen."

Michelle knikte slechts. Ze stopte het recept in haar handtas en vergat het op hetzelfde moment weer. Het enige wat ze nog wilde was naar huis en naar bed. Ze voelde zich met de minuut zieker worden.

Ruben wachtte haar ongerust op.

"Is het gebeurd?" vroeg hij gespannen.

"Gelukkig wel. Je hebt geen idee wat een opluchting dat is," antwoordde Michelle.

"Ik kan me er wel iets bij voorstellen. Kom schat, we gaan naar huis." Zorgzaam knoopte hij haar jas dicht. Eenmaal thuis leidde hij haar rechtstreeks naar boven, naar de slaapkamer. Hij hielp haar zelfs met uitkleden, want Michelle leek nergens meer toe in staat op dat moment. Ze liet alles willoos over zich heen komen. Met een zucht van verlichting vlijde ze haar hoofd op het koele hoofdkussen. Wat voelde dat heerlijk aan tegen haar warme huid. Ze dook diep weg onder het dekbed. Hopelijk kon ze nu een paar uur slapen, want dat was er de laatste dagen aardig bij ingeschoten. Ze was hard toe aan wat rust. Denken deed ze later wel weer eens. Nu wilde ze alleen maar haar ogen dichtdoen en wegzinken in een zalig niets. Even alles vergeten wat haar was overkomen.

"Hebben ze nog iets gezegd in de kliniek?" wilde Ruben weten. "Waar we op moeten letten of zo? Een bloeding of iets dergelijks?"

"Ik geloof het niet," antwoordde Michelle slaperig en zich nog maar amper bewust van haar omgeving.

"Het was goed gegaan, zeiden ze." Ze sliep al voordat hij de slaap-kamer verlaten had. Ruben had echter de hele dag geen rust. Om de haverklap liep hij naar boven om te controleren of het goed ging met Michelle. Haar bleke wangen van die ochtend vertoonden ondertussen opmerkelijk rode blossen, constateerde hij bezorgd. Zodra ze wakker werd, zou hij haar temperatuur opmeten, nam hij zich voor. Koorts leek hem geen goed teken na een dergelijke ingreep. Ze bleef echter de hele dag doorslapen. Aan de ene kant was hij daar blij om, want haar lichaam nam eindelijk de rust die het nodig had, aan de andere kant werd hij ongeruster naarmate het langer duurde voor ze wakker werd. Haar wekken wilde hij echter ook niet. Aan het eind van de middag was haar gezicht vuurrood en voelde het heet en bezweet aan. Voor de zekerheid belde Ruben naar de praktijk van dokter Fransen. Hun huisarts kennende zou hij meteen naar haar komen kijken, wist hij. Wellicht voor niets, maar dan was hij tenminste gerustgesteld. Als er wel iets aan de hand was kon hij vanavond nog naar een apotheek om medicijnen te halen. Nadat de telefoon drie keer was overgegaan hoorde hij echter een bandje wat hem meldde dat de praktijk wegens ziekte van de dokter voor onbepaalde tijd gesloten was. Patiënten konden overdag tussen acht en vijf uur terecht bij de plaatsvervangende arts, waarvan het nummer werd genoemd. Voor dringende geval-len kon de huisartsenpost gebeld worden.

Ruben vloekte en smeet zijn telefoon neer. Het was tien over vijf, toch belde hij het bewuste nummer, waarna hij opnieuw een bandje hoorde met de mededeling dat de praktijk die dag niet meer be-reikbaar was. Hij twijfelde of het nodig was de huisartsenpost in te schakelen, vooral gezien de aard van de ingreep. Michelle zou er zeker niet blij mee zijn als hij dat aan de grote klok ging hangen, wist hij. Zeker niet als het niet medisch noodzakelijk was. Hij besloot daarom nog even af te wachten tot ze wakker werd, dan kon ze zelf aangeven of ze een dokter nodig had.

Om kwart voor zes keek hij opnieuw voorzichtig om de slaapkamerdeur, deze keer lag ze met haar ogen open.

"Je bent wakker." Behoedzaam ging hij op de rand van hun bed zitten. Haar handen waren al net zo warm als haar gezicht, voelde hij. "Je hebt koorts."

"Dat verbaast me niets," zei Michelle. Het praten ging moeizaam vanwege haar droge, opgezwollen keel. "Ik heb griep. Dat voelde ik vanochtend al aankomen."

"Dus toch. Waarom heb je dat niet gezegd?" vroeg hij licht verwijtend.

"Dan hadden ze me niet geholpen."

"Je gezondheid is belangrijker, Michelle. Nu heeft je lichaam twee klappen tegelijk te verduren, dat lijkt me niet goed."

"Nu zijn kind uit mijn lijf is zal ik ongetwijfeld snel opknappen."

"Ik heb Fransen gebeld," bekende Ruben. "Maar hij is zelf ook ziek. Als het nodig is kunnen we de huisartsenpost bellen."

Michelle schudde haar hoofd, wat zo'n stekende pijn veroorzaakte dat ze snel weer stil bleef liggen.

"Niet doen. Het is gewoon een griepje, niets bijzonders. Ze lachen je hartelijk uit als je daarvoor belt."

Na een glas koel vruchtensap gedronken te hebben sloot ze opnieuw haar ogen. Slapen, ze wilde slapen om snel beter te worden. Als ze hier eenmaal van opgeknapt was, had ze alles tenminste achter de rug.

HOOFDSTUK 9

"Dat was geweldig. Jij bent geweldig." Intens tevreden kroop Carla tegen de man aan die naast haar in bed lag. Internet was een fantastische uitvinding, dacht ze grinnikend bij zichzelf. Zonder haar computer had ze deze Jacob nooit ontmoet. Misschien wel de ware Jacob, stond ze zichzelf toe te denken terwijl ze hem tersluiks bekeek. Hij zag er fantastisch uit, een bijkomend voordeel na het leuke mailcontact wat ze de afgelopen weken hadden onderhouden. Jacob had al laten zien dat hij gevoel voor humor bezat en dat ze goed met hem kon praten, dat hij ook nog eens lang, donker en knap bleek te zijn was een extra bonus voor Carla. Hun eerste ontmoeting was vorige week geweest. Heel banaal, in het restaurant van het station in haar woonplaats. Gedachtig de waarschuwingen die ze van alle kanten had gekregen, had ze dat toch de veiligste optie gevonden. Bij de eerste aanblik op hem had ze echter al geweten dat dit wel goed zat en nadat ze samen iets hadden gedronken had ze hem haar adres gegeven, met de afspraak dat hij vandaag naar haar toe zou komen.

Nou, dat was de afspraak wel geweest. Carla rekte zich ongeneerd uit. Ze had al heel wat ervaring met mannen, maar zo voortvarend en gedreven als deze Jacob had ze nog niet vaak meegemaakt. Hij was nog maar amper binnen geweest of hij was al begonnen met het losknopen van haar blouse. Niet dat ze daar bezwaar tegen had overigens. Ze hield wel van een dergelijke vlotte aanpak. Tenslotte wisten ze beiden waarom hij gekomen was, het had geen nut om eerst urenlang te doen of dat niet het geval was.

"Jij bent zelf ook niet verkeerd," gaf Jacob haar dat compliment terug. "Dit was een heerlijke manier om een saaie zaterdagmiddag door te brengen. Dat moeten we snel nog eens doen."

"Zondagen kunnen ook heel erg saai zijn," zei Carla ondeugend.

"Morgen kan ik helaas niet," zei hij met een spijtige klank in zijn stem. Hij maakte een vaag gebaar met zijn hand. "De gebruikelijke verplichtingen, je kent dat vast wel."

"Familiebezoek?" begreep Carla. "Daar heb ik gelukkig geen last van. Mijn familie woont verspreid over het land en ik heb heel weinig contact met ze." Ze kriebelde met haar vingernagels door zijn borsthaar. Ondanks de heftige uren die achter hen lagen voelde ze haar opwinding alweer toe nemen. "Maar je hoeft nu toch nog niet weg?" zei ze met haar mond vlakbij zijn oor. Ondertussen gaf ze hem kleine kusjes.

"Over een uurtje," antwoordde Jacob met een blik op zijn horloge.

"Jammer. Moet het echt?" Teleurgesteld kwam Carla overeind. Wetende dat weinig mannen daar tegen konden, trok ze een pruillip. "Terwijl je me morgen ook al alleen laat? Harteloos van je."

"Ik ben een druk bezet man, liefje."

"Familiebezoek hoeft toch niet de hele dag te duren? Kun je niet wat vroeger ontsnappen om naar mij toe te komen?" vroeg ze verleidelijk terwijl haar hand alweer over zijn buik streelde. "Was het maar waar." Jacob zuchtte. "Geloof me, ik zou de zondag veel liever met jou doorbrengen dan verplicht bij mijn schoonouders te zitten, maar mijn vrouw heeft het nu eenmaal al afgesproken. Ze rekenen op me."

"Je vrouw?" Haar hand bleef stil hangen.

"Je bedoelt... Je bent getrouwd?"

"Dat wist je toch?"

"Absoluut niet." Haastig kwam Carla overeind, ondertussen haar ochtendjas aantrekkend. "Ik laat me namelijk nooit in met getrouwde mannen. Dit kleine detail heb je in je mails achterwege gelaten, anders had ik je nooit mijn adres gegeven."

"Ach kom, doe niet zo puriteins," zei hij spottend. Ook hij stond nu op. Hij liep met uitgestrekte armen op haar toe, maar Carla dook weg voordat hij bij haar was. "Jij hebt er net zo van genoten als ik. Gedraag je nu niet ineens als een non, dat past niet bij je. Zo moeilijk was je tenslotte niet over te halen," beet hij haar toe.

Carla haalde haar schouders op. "Wat ik doe, is mijn eigen zaak," zei ze kalm. "Ja, ik ben makkelijk met mannen, daar schaam ik me helemaal niet voor, maar getrouwde mannen zijn voor mij een no go area. Ik zal niet ontkennen dat ik een prettige middag met je heb gehad, maar ik heb liever dat je nu gaat."

"Goh, een vrouw met een hoogstaande moraal," zei Jacob sarcastisch.

"Ook ik heb mijn principes, ja, al zijn het er misschien niet veel," zei Carla vinnig. Ondertussen wierp ze zijn broek in zijn richting. "Wegwezen."

Nog wat mopperend over vrouwen, principes en meten met twee maten, kleedde Jacob zich aan. Carla sloeg geen acht meer op wat hij zei. Ze wachtte met over elkaar geslagen armen tegen de deurpost tot hij klaar was om te gaan. Nadrukkelijk draaide ze de deur achter hem in het slot, daarna liet ze haar fiere houding varen. Zeggen dat ze hals over kop verliefd was geworden op deze man was overdreven, maar ze had wel gehoopt op een wat langdurigere relatie dan dit. Hun mailcontact had haar enorm aangesproken en de eerste ontmoeting met Jacob was zeker niet tegengevallen. De afgelopen middag had ze stiekem al wat gefantaseerd over een toekomst met hem. Dergelijke leuke mannen ontmoette ze niet veel. Hoewel, leuk… Haar mond vertrok bitter tot een smalle streep. Dat was dus bar tegengevallen. Leuke mannen logen en bedrogen niet. Ze had een vreselijke hekel aan mannen die hun heil buiten de echtelijke sponde zochten, met alle leugens die daarbij hoorden. Zelf was ze altijd eerlijk, dat verwachtte ze van de mannen in haar leven ook.

Verdrietiger dan het korte contact met Jacob rechtvaardigde, sloeg ze haar armen om haar opgetrokken benen heen. Haar hoofd rustte op haar knieën. Dit was een bittere pil voor haar. De berichten die ze elkaar via de computer hadden gestuurd, hadden een belofte ingehouden waar ze geen bezwaar tegen had gehad. Beatrice had met de kerst dus toch gelijk gehad, dacht ze. Hij was inderdaad getrouwd. Ondanks dat Jacob zo nonchalant had beweerd dat hij dat verteld had, wist Carla heel zeker dat dit niet het geval was. Dat was geen nieuws waar ze overheen zou lezen. Bovendien had ze zijn mails bewaard en stuk voor stuk meerdere malen gelezen, zeker toen hun eerste ontmoeting in zicht kwam. Waarom moest haar dat nu weer overkomen? Aan iedere man mankeerde wel wat en nu had ze eindelijk iemand ontmoet die volmaakt leek en dan kreeg ze dit weer op haar boterham. Ze was vijfendertig. De behoefte om zich met één man te settelen en daar de rest van haar leven, in voor- en tegenspoed, bij te blijven had ze nog nooit gehad, maar ze merkte wel dat haar prioriteiten begonnen te verschuiven. Ze werd iets rustiger, ging minder vaak op stap en ze vond het tegenwoordig ook wel eens prettig om een avondje thuis op de bank te hangen. Een leuke, wellicht langdurige, LAT relatie paste daar wel bij. Al die mannen begonnen haar een beetje te vervelen. Het was iedere keer hetzelfde. Mannen oppikken in de kroeg of op een feestje, de eerste opwinding, een paar leuke nachten of weken en dan sloeg de verveling alweer toe. Met de mannen die ze over het algemeen mee naar huis nam was geen behoorlijk gesprek te voeren, ontdekte ze altijd als de eerste verliefdheid was gezakt. Met Jacob was dat anders geweest. Ze hadden bijna drie weken met elkaar gemaild en ze had serieus gemeend dat ze hem al aardig goed kende. Bah!

Carla vond zichzelf best zielig op dat moment. Ze stond op, nam een lange douche en trok een spijkerbroek met een trui aan. Tegen haar gewoonte in maakte ze zich niet op. Het was pas half zes, zag ze. De avond waar ze zich zoveel van had voorgesteld lag lang, leeg en donker voor haar. Zin om nu op stap te gaan had ze al helemaal niet. Hopelijk was Michelle thuis, dan kon ze daar even haar hart luchten.

Zich niet afvragend of het haar buurvrouw wel uitkwam, drukte ze even later op de bel van het huis naast haar. Het was Ruben die open deed. Zonder plichtplegingen liep Carla langs hem heen naar binnen, zoals ze altijd deed.

"Is Michelle er niet?" informeerde ze in de lege huiskamer. Ze keek om zich heen alsof ze verwachtte dat Michelle onder de tafel vandaan zou kruipen.

"Ze ligt in bed," verklaarde Ruben kortaf.

"Nog steeds die griep?" Carla trok haar wenkbrauwen op. "Dat is niet goed, hoor. Een griep duurt een paar dagen, niet ruim een week. Heeft ze nog steeds koorts?"

Hij knikte. "Vanmiddag bijna veertig graden."

"Zou je dan niet eens een dokter bellen?"

"Onze eigen dokter is zelf ziek en Michelle heeft liever geen vreemde arts in deze omstandigheden."

"Waarom niet? Tenslotte is ze niet ziek van die abortus," weerlegde Carla dat.

"Eerlijk gezegd begin ik dat te betwijfelen." Ruben zuchtte. Het was hem aan te zien dat hij de afgelopen nachten weinig slaap had gehad. De zorg voor Michelle drukte zwaar op hem.

"Ik ga even bij haar kijken, misschien luistert ze naar mij wel," zei Carla resoluut terwijl ze opstond en naar de trap liep.

Michelle was wakker, maar lag onbeweeglijk in bed. Carla schrok bij het zien van haar bleke, bijna doorschijnende gezicht. Aan haar jukbeenderen kon ze zien dat Michelle flink afgevallen moest zijn. Haar vel was daar strak overheen getrokken, terwijl haar wangen eronder ingevallen waren. Haar ogen stonden hol en vertoonden geen blik van herkenning bij het zien van haar buurvrouw. Ze was echt goed ziek, realiseerde Carla zich. Ze was de dag na de ingreep even bij haar langs gegaan en toen was Michelle er al niet best aan toe geweest, maar dat was nog niets vergeleken bij de witte schim die nu in het bed lag.

"Hoi," zei ze zacht. Voorzichtig ging ze op de rand van het bed zitten. "Hoe gaat het?"

Een overbodige vraag, want een kind kon zien dat het slecht ging, maar Carla wist zo snel niets anders. Het antwoord van Michelle bracht echter een nieuwe schokreactie teweeg.

"Ik wil die snoepjes niet," mompelde ze. "Ga weg, anders roep ik mijn moeder."

"Michelle…" Carla legde voorzichtig haar hand op Michelle's voorhoofd. Kokend heet, constateerde ze. "Ik ben het, Carla."

"Jij bent de mevrouw van de snoepwinkel, dat weet ik wel. Mag ik naar de politie? De baby is weg."

Een licht gerucht bij de deur deed Carla opkijken. Ruben stond in de deuropening.

"Ze herkent me niet en ze ijlt. Als jij nu geen dokter belt doe ik het," zei ze resoluut.

De arts die Ruben aan de lijn kreeg beloofde onmiddellijk te komen en hij was er inderdaad binnen tien minuten. De koorts bleek nog wat gestegen te zijn en kwam op een punt dat het echt gevaarlijk werd. Op het moment dat de arts het dekbed wegsloeg was de schok compleet. Michelle's nachtjapon en het laken onder haar zaten onder het bloed. Het was een macaber gezicht. Ruben sloeg zijn hand voor zijn mond. Voor het eerst realiseerde hij zich dat de kans aanwezig was dat hij Michelle kon verliezen. Daarbij vielen al haar bezwaren in het niet.

"Ze heeft enkele dagen geleden een abortus ondergaan," zei hij dan ook meteen. "Dezelfde middag kreeg ze koorts, maar omdat ze ook verkouden was vonden we dat niet vreemd. Ze had expres niets in de kliniek gezegd uit angst om niet geholpen te worden. Ze was verkracht," voegde hij er snel aan toe in een poging Michelle te verdedigen. Hij wilde niet dat de arts dacht dat ze het niet zo nauw nam.

"Het is niet mijn taak om haar te veroordelen," zei de dokter vriendelijk. "Is de antibioticakuur al afgelopen?"

"Antibiotica?" Ruben fronste zijn wenkbrauwen.

"Daar weet ik niets van." De arts hield nog net op tijd een krachtterm binnen. "Geen antibiotica dus en dat in combinatie met een verminderde afweer vanwege de griep en de nodige stress, als ik uw verhaal zo hoor. Een zeer vruchtbare bodem voor infecties. Ik ga nu meteen een ambulance bellen, want uw vrouw moet opgenomen worden. Ik vermoed dat ze een flinke baarmoederontsteking heeft."

Alles ging ineens heel snel. Nog geen kwartier later werd Michelle op een brancard de ambulance ingeschoven en stapte de verwarde, angstige Ruben er eveneens in.

"Bel me zodra je iets weet," riep Carla hem nog na. "En als ik je op moet halen." Ze was er niet zeker van of hij haar gehoord had. Misschien kon zij beter ook naar het ziekenhuis gaan, overwoog ze. Dan was hij in ieder geval niet alleen. Op dat moment dook Louise naast haar op. Gealarmeerd door de ambulance in hun straat kwam ze hard aanrennen.

"Wat is er aan de hand?" hijgde ze. "Is ze nog zieker geworden?"

"En goed ook," vertelde Carla somber. "Ze herkende me niet eens." Plotseling begon ze te beven. Ze besefte nu pas goed wat er allemaal gebeurd was. Een half uur geleden had ze nog in haar huiskamer gezeten en zichzelf zielig gevonden vanwege het debacle met Jacob. Nu begreep ze niet dat ze zich daar druk om had kunnen maken. Vergeleken bij wat Michelle allemaal overkwam, stelde het incident met Jacob niets voor.

"Laten we naar binnen gaan," stelde Louise voor met een blik op de buren die naar buiten waren gekomen en de nieuwsgierige gezichten die ze her en der voor de ramen zag verschijnen. Ze leidde Carla het huis van Ruben en Michelle in, waar de voordeur nog van open stond. In de keuken, waar ze feilloos de weg wist, maakte ze twee koppen sterke koffie klaar. Carla kon haar beker amper vasthouden, zo trilden haar handen terwijl ze Louise vertelde wat de arts had gezegd.

"Ik bedacht net dat ik beter ook naar het ziekenhuis kan gaan," eindigde ze.

"Het lijkt me niet verstandig dat jij nu achter het stuur gaat zitten," merkte Louise op.

"Dan bel ik wel een taxi. Ruben zit daar in zijn eentje terwijl Michelle..." Carla stokte en de tranen schoten in haar ogen. "Als het fout gaat moet hij niet alleen zijn," maakte ze haar zin even later snikkend af.

"Ik bel Dave," besloot Louise. Haar hand reikte al naar de zak van haar trui, waar haar mobiel in zat. Na een kort gesprek stopte ze hem weer terug. "Dave gaat naar het ziekenhuis," meldde ze. "Beatrice blijft bij Tessa, dus dat is geen probleem. Hij belt ons zodra er iets bekend is, heeft hij beloofd."

"Blijf jij bij mij?" vroeg Carla kleintjes.

"Natuurlijk. We wachten samen op bericht."

Het werd een vreemde avond. Louise's telefoon ging twee keer over en beide keren durfde ze amper op te nemen uit angst voor wat ze te horen zou krijgen. Het eerste telefoontje was van Dave om te melden dat hij in het ziekenhuis was gearriveerd en dat Michelle onderzocht werd, de tweede keer dat haar telefoon rinkelde was het een kennis die graag eens bij wilde kletsen. Louise maakte zich snel van dat tweede gesprek af.

Het grootste gedeelte van de tijd zaten ze zwijgend bij elkaar. Er viel zo weinig te zeggen in deze omstandigheden. Het enige wat ze konden doen was afwachten en hopen op een goed bericht. Om kwart voor acht schalde ineens de bel door het huis, ze schrokken er allebei van.

Het bleek Patricia te zijn die voor de deur stond.

"Hé, jij hier?" begroette ze Louise vrolijk. "Ik kom eens kijken hoe het met Michelle is. Knapt ze al wat op?"

"Nou, nee," antwoordde Louise aarzelend terwijl ze Patricia voorging naar de kamer. Zo summier mogelijk vertelde ze wat er aan de hand was.

"Blijft haar dan helemaal niets bespaard?" reageerde Patricia geëmotioneerd. "Alsof die verkrachting op zich al niet erg genoeg was. Als die man niet al dood was zou ik hem met liefde eigenhandig willen wurgen. En nu?"

"Afwachten," zei Louise nuchter. "Al is dat het moeilijkste wat er is."

"Er moet toch wel iets zijn wat we kunnen doen?" drong Patricia aan. "Ligt er geen strijkgoed wat gedaan moet worden of zo? Ik ben liever bezig, dan gaat de tijd tenminste ook wat sneller."

"Ik was al van plan om vanavond hierheen te komen om de bestellingen van Michelle's webwinkel te verwerken," vertelde Louise. "Dat doe ik wel vaker, ook als ze met vakantie is. Misschien kunnen we dat samen doen, dan hebben we in ieder geval iets om handen terwijl we wachten. Er zullen best wel wat bestellingen zijn die ingepakt moeten worden, want ik heb het woensdag voor het laatst gedaan." Ze maakte een verontschuldigend gebaar met haar hand. "Ja, we hebben ook ons eigen bedrijf nog en niet te vergeten een kind. Ik red het niet om dat dagelijks bij te houden."

"Misschien is dat iets voor mij," zei Patricia ineens. Ze liepen met zijn drieën naar de zolder waar Michelle haar bedrijf hield. Daar keek ze peinzend om zich heen. "Als jij me uitlegt hoe het werkt, kan ik het overnemen tot Michelle er zelf weer toe in staat is."

"Heb jij daar wel tijd voor dan?" vroeg Louise.

"Mijn kinderen zitten tegenwoordig hele dagen op school, dus dat moet geen probleem zijn. Ik ben voorzichtig begonnen met solliciteren, maar dat kan nog wel even wachten. Dit gaat nu voor."

"Het zou een mooie oplossing zijn," gaf Louise toe terwijl ze de computer aanzette. "Al moet ik zeggen dat je voorstel me verbaast. Zo'n hechte band hebben jij en Michelle toch niet met elkaar."

"Het is het minste wat ik kan doen." Patricia beet op haar lip. "Het is allemaal mijn schuld. Michelle had die avond helemaal geen zin om naar mij toe te komen, dat heb ik echt wel gemerkt. Ik ben degene die erop aangedrongen heeft omdat ik zo nodig mijn nieuwe huis aan haar wilde showen. Als ik dat niet had gedaan, was het allemaal niet gebeurd, had ze geen abortus hoeven ondergaan en was ze nu gewoon gezond geweest."

"Het is niemands schuld behalve van die man," zei Carla hard.

"Schuld is misschien een groot woord, maar ik voel me wel degelijk medeverantwoordelijk. Door er voor te zorgen dat haar bedrijf hier niet aan ten onder gaat, heb ik tenminste het gevoel dat ik iets goed kan maken aan haar. Als ze straks beter is, heeft ze haar werk hard nodig, denk ik. Het laatste wat ze na al deze ellende kan gebruiken is een faillissement."

"Als ze beter wordt," zei Carla somber.

"Natuurlijk komt ze hier doorheen," sprak Louise op besliste toon. Het leek of ze zichzelf daarvan moest overtuigen. "Michelle is sterk, die redt het wel. Kom meiden, we gaan aan de slag. Er is een flinke achterstand, zie ik. Ik hoop dat er genoeg voorraad is om alle bestellingen te verwerken. Als ik het tijdens vakanties van Michelle overneem zorgt ze daar altijd voor, maar nu is dat natuurlijk een ander verhaal."

"Hier heeft ze de mappen met haar administratie," zag Patricia. "Die neem ik straks mee naar huis, dan ga ik me daar in verdiepen. Met alleen het versturen van de bestellingen die via haar site worden gedaan redden we het niet."

Ze togen met zijn drieën aan de slag. Het ongewone werk leidde hun aandacht af van hun sombere gedachten en de tijd schoot ineens een stuk harder op. Toen Louise's mobiel begon te rinkelen schrokken ze daar alle drie van. Patricia en Carla hingen aan Louise's lippen tijdens het korte gesprek wat ze voerde, maar veel wijzer werden ze niet van haar éénlettergreperige antwoorden.

"En?" vroeg Patricia gespannen zodra Louise het gesprek verbrak. "Vertel!"

"Michelle is geopereerd, ze bleek een geperforeerde baarmoeder te hebben," bracht Louise verslag uit. "Ze heeft de operatie overleefd, maar haar baarmoeder hebben ze niet meer kunnen redden. Die hebben ze eruit moeten halen."

"O nee," fluisterde Carla ontzet. "En ze wil zo graag kinderen."

"Ze leeft in ieder geval nog," zei Louise. "Laten we daar blij om zijn." Haar stem trilde echter. Michelle had al zoveel moeten doorstaan, het leek wel of er nooit een einde aan de slechte berichten kwam.

HOOFDSTUK 10

De klap kwam in eerste instantie niet zo hard bij Michelle aan. Waar iedereen bang was dat ze nu pas echt in zou storten, over-heerste bij haar eigenlijk meer een gevoel van opluchting. Dit hoefde ze in ieder geval nooit meer mee te maken. Ze was zo ontzettend ziek geweest. Ze realiseerde zich heel goed dat ze op het randje van de dood had gezweefd.

Pas later, thuis, drong in volle hevigheid tot haar door dat de spoedoperatie ook betekende dat ze nooit een kind van Ruben zou krijgen, iets wat ze de eerste dagen ver van zich af had ge-schoven.

"Ik zal nooit normaal zwanger kunnen worden," zei ze plotseling op een avond. "Mijn enige ervaring met zwangerschappen is wat ik nu heb meegemaakt."

Ruben zat aan zijn computer, maar hij zette het apparaat onmid-delijk uit. Hij had dit gesprek al veel langer verwacht.

"Maar jij leeft nog, dat is het belangrijkste," zei hij ernstig terwijl hij naast haar ging zitten op de bank. "Ik ben zo ontzettend bang geweest dat ik je kwijt zou raken."

"Misschien was dat minder erg geweest. In eerste instantie zou je verdrietig zijn geweest, maar later had je dan met een andere vrouw alsnog het gezin kunnen stichten wat je zo graag wilt heb-ben." Michelle sprak volkomen emotieloos, alsof ze het over een personage in een film had in plaats van over zichzelf.

"Ik wil geen kinderen als dat inhoudt dat ik jou daarvoor op moet geven." Ruben pakte haar bij haar schouders vast en draaide haar naar zich toe. "Hoor je me? Jij bent het allerbelangrijkste."

"Dat denk je nu. Over een paar jaar denk je er wellicht anders over."

"Nooit," bezwoer hij haar. "Michelle, ik hou van je. Ik zou geen gelukkig moment meer gekend hebben als jij het niet had overleefd."

"De tijd heelt alle wonden," zei ze schouderophalend.

"Hou op. Je leeft nog, daar ben ik alleen maar zielsgelukkig om. Ik wil niet eens denken aan hoe anders het had kunnen zijn."

"Maar je zult nooit vader worden als je bij mij blijft."

"Dat vind ik inderdaad erg, daar zal ik niet om liegen, maar dat gegeven valt in het niet vergeleken bij de andere optie. In ieder geval is het geen reden om je te verlaten, laat staan om je dood te wensen." Hij huiverde bij die woorden. Die avond in het ziekenhuis, terwijl hij machteloos af moest wachten hoe de operatie verliep, was een nachtmerrie geweest voor hem. Al die uren had hij maar één wens gehad, namelijk dat Michelle zou blijven leven. Die wens was uitgekomen, de consequenties daarvan nam hij met liefde op de koop toe.

Moeizaam, met een brok in zijn keel bij de herinnering, probeerde hij Michelle zijn gevoelens van die avond te beschrijven.

"Dus ik ben alleen maar blij en dankbaar," eindigde hij. "Twijfel daar alsjeblieft nooit aan."

"Ik wil je graag geloven, maar ik ben bang dat het je op den duur opbreekt dat je nooit vader zult worden," zei ze kleintjes. "Op dit moment is je blijdschap groter, maar die gevoelens vervagen uiteindelijk en dan blijft alleen het gemis en het verdriet van onvervulde verlangens over."

"Zullen we niet naar de toekomst kijken, maar bij de dag proberen te leven?" stelde Ruben voor. "Niemand weet wat er gaat gebeuren, het heeft geen enkel nut om daar over te speculeren."

"Dat is geen speculatie, maar realisme," beweerde Michelle echter.

Ruben schudde zijn hoofd. "Niet waar. De realiteit is dat ik ontzettend veel van je hou en liever samen ben met jou zonder kinderen, dan dat ik een gezin sticht bij een andere vrouw. Mocht ik ooit van gedachten veranderen, dan ben jij de eerste die het hoort. Afgesproken?"

Het was als grapje bedoeld, maar Michelle ging er serieus op in. "Je hoeft me niet te ontzien als het zover komt. Ik zou jou nooit tegen willen houden in het uit laten komen van je dromen," zei ze ernstig.

"Ach liefje." Ruben zuchtte en trok haar naar zich toe. "Natuurlijk meende ik dat niet. De enige die ik wil ben jij. Trouwens, waarom zouden wij samen geen ouders kunnen worden? Er bestaat ook nog zoiets als adoptie. Misschien is dat zelfs nog wel veel mooier dan een eigen kind op de wereld zetten, want dan bied je een goed leven aan een kansarm kind."

"Zou je dat echt willen?"

"Jij niet?" beantwoordde hij dat met een tegenvraag.

"Ik weet niet," peinsde Michelle. "Eigenlijk heb ik daar nooit bij stilgestaan."

"Omdat het nooit aan de orde is geweest. Denk er eens rustig over," raadde Ruben haar aan. "Het hoeft niet onmiddellijk, je kunt er rustig naar toe groeien. Of niet. Je bent nergens toe verplicht. We hebben het altijd goed gehad met zijn tweeën, dat zal niet veranderen. Voorlopig vind ik het belangrijker dat jij helemaal opknapt en alles wat er gebeurd is verwerkt. Tot die tijd moet je nergens aan beginnen."

Verwerken, hoe deed ze dat, vroeg Michelle zich af. Waren daar maar regels voor. Of oefeningen. Of medicijnen. Haar leven was in een paar maanden tijd volledig op zijn kop gezet en voorgoed veranderd. Hoe moest ze daarmee omgaan? En de schuldige aan dit alles kon niet eens meer ter verantwoording worden geroepen, wat, ondanks de opluchting dat hij haar nooit meer iets aan kon doen, toch een onbevredigend gevoel gaf. Ze had al drie maanden niet echt gelachen en ze betwijfelde of ze dat ooit nog zou kunnen. Haar gevoel was net zo dood als haar verkrachter. Ze ging als een robot door het leven, lamgeslagen door alle dramatische gebeurtenissen die zich in zo'n korte tijd hadden voltrokken. Slechts heel langzaam keerden haar gevoelens terug.

Patricia hielp haar nog steeds met haar webwinkel. De eerste weken na de operatie van Michelle had ze hem in haar eentje draaiende gehouden en dat was bijzonder goed gegaan. Nu Michelle opknapte en steeds meer zelf ging doen, kwam Patricia nog iedere ochtend naar haar toe zodra ze haar zoons naar school had gebracht. Ze bleef dan tot kwart voor twaalf. Michelle werkte dan nog een uurtje door, waarna ze 's middags een paar uur haar bed indook. Ze merkte dat ze veel rust nodig had om de lichamelijke gevolgen van de ingreep te boven te komen. Ook geestelijk deed deze rust haar goed. In plaats van maar door te blijven gaan in een poging afleiding te zoeken, werd ze nu gedwongen stil te staan en erover na te denken. Dat bleek betere therapie dan alles verdringen en net te doen alsof er niets gebeurd was.

"Logisch," knikte Louise toen ze daar op een dag een opmerking over maakte. "Je moet door die gevoelens heen, je kunt ze niet omzeilen. Uiteindelijk breekt dat een mens alleen maar op."

"Toch blijft het vreemd dat je een dergelijk traumatisch incident het beste verwerkt door er veel aan te denken," peinsde Michelle. "In gedachten heb ik het inmiddels al tientallen malen meege- maakt in plaats van slechts één keer. Niet alleen de verkrachting, maar ook de hele nasleep. Het was hem bijna gelukt om me als- nog te vermoorden, maanden later."

"Maar dat is hem niet gelukt, dus moet je ook niet bang zijn om te léven," zei Louise. "Je bent er nog."

"Dat zegt Ruben ook steeds. Natuurlijk ben ik daar blij om, maar toch…" Ze schudde haar hoofd. "Van mijn leven zoals het was is weinig meer over."

"Het is aan jou zelf om daar verandering in aan te brengen." Louise keek naar buiten, waar een vrolijk zonnetje scheen. Het was maart en de zon deed al aardig zijn best om de winter te ver- jagen. "Het wordt lente. Dit klinkt waarschijnlijk heel afgezaagd, maar dat is een nieuw begin. Ook voor jou."

"Dat dacht ik vorig jaar ook. Weet je dat het vandaag precies een jaar geleden is dat Ruben me dat huwelijksaanzoek deed? Het had een heel gelukkig jaar moeten zijn."

"Voor een deel is dat ook gelukt. Het is niet realistisch om te den- ken dat een mens altijd alleen maar gelukkig kan zijn. Verdriet en ellende horen ook bij het leven en iedereen krijgt daar zijn portie van. Bij jou is dat verdriet je aangedaan door een ander, toch heb je zelf een keuze in hoe je daar verder mee omgaat. Je kunt de rest van je leven zwelgen in zelfmedelijden om het onrecht wat je aan is gedaan, maar dan blijf je zijn slachtoffer," zei Louise.

"Zoiets zei je toen het net was gebeurd ook. Ik heb geprobeerd naar jouw advies te leven, maar veel goeds heeft het me niet gebracht," reageerde Michelle bitter.

"Wat wil je dan? In een hoekje wegkruipen en je zielig blijven voelen?" vroeg Louise zonder omwegen. "Of leven en genieten van al het goede wat je ook hebt?"

"Zo klinkt de keus wel erg simpel."

"Ik weet dat ik makkelijk praten heb en eerlijk gezegd weet ik ook niet hoe ik zou reageren als het mij allemaal overkwam. Ik denk daar best wel eens over na, maar ik kan me niet indenken hoe jij je moet voelen," zei Louise eerlijk. "Ik probeer je alleen te helpen. Je stond altijd zo positief in het leven."

"Het is makkelijk om positief te zijn als je de wind mee hebt. Vroeger had ik ook altijd mijn oordeel klaar als ik een dergelijk verhaal hoorde. Dan vond ik dat de persoon in kwestie niet zo lang in de slachtofferrol moest blijven hangen en vooral niet teveel moest zeuren. En moet je mij nu eens horen."

"Je zeurt niet," zei Louise meteen beslist. "Voor mijn part vertel je het hele verhaal nog honderd keer, dat maakt niet uit. Als jij dat nodig hebt voor je verwerking zal ik er met liefde naar luisteren. Ik denk alleen niet dat het jou helpt als ik met je meepraat en het stempel 'zielig' op je druk. Ik probeer je juist uit die put te praten, niet erin."

"Dat lukt je aardig," zei Michelle met een klein lachje. "Ik heb veel steun aan jou, Louise, dat mag best wel eens gezegd worden. Jij bent een vriendin uit duizenden. Veel anderen zouden allang de benen hebben genomen."

"Juist in dit soort omstandigheden heb je vriendinnen nodig.

Toen ik het vroeger moeilijk had op school was jij er ook voor mij en ik zal je ongetwijfeld nog wel eens vaker nodig hebben.

Het leven is nu eenmaal een golfbeweging, goede en slechte tijden wisselen elkaar af. Zolang we niet tegelijkertijd in de slechte periodes zitten kunnen we elkaar tenminste helpen. Ik neem echt nog wel eens wraak," grinnikte Louise om haar ontroering te verbergen. Ze had alles wel willen doen om haar vriendin te helpen, het was prettig om te horen dat haar pogingen niet zonder resultaat waren gebleven. Zelf twijfelde ze vaak of ze het juiste deed of zei. Ze vroeg zich regelmatig af of Michelle niet meer had aan iemand die niet tegen haar inging, maar die alleen maar luisterde zonder een eigen mening te geven.

"Jij durft me tenminste ook op mijn kop te geven als ik teveel in mijn verdriet blijf hangen," zei Michelle echter. "Ruben is een schat en hij doet alles voor me, maar ik denk wel eens dat hij alleen die dingen zegt waarvan hij denkt dat ik ze wil horen. Hij is het in alles met me eens, ongeacht wat ik zeg."

"Ruben is een man," zei Louise op een toon alsof dat alles verklaarde.

Michelle schoot in de lach. "Je zegt dat alsof het iets vreselijks is, alsof hij zich daarvoor moet schamen."

"Voor een man liggen dit soort zaken toch anders, hoe ze ook hun best doen om zich in te leven. Ruben wil niets liever dan jou helpen, maar omdat hij nooit echt kan begrijpen hoe dit soort zaken voor een vrouw voelen, doet hij alsof. Als hij met je mee praat en bevestigend knikt op alles wat jij zegt, kan hij nooit helemaal fout zitten, denkt hij."

Michelle knikte peinzend. "Daar zou je best wel eens gelijk in kunnen hebben. Hij zegt vaak dat hij zich machteloos voelt omdat hij niet echt iets voor me kan doen."

"Ik heb altijd gelijk," zei Louise niet bepaald bescheiden.

"Dat is waar, dat was ik even vergeten." Michelle grinnikte. "Zoals op je vijftiende, toen je smoorverliefd was op Arjen en je bij hoog en laag vol bleef houden dat hij je helemaal niet bedroog met Monique, hoewel de bewijzen overduidelijk waren."

"Dat was in mijn jeugd, dat telt niet," zei Louise onbekommerd. "Ik heb het nu over mijn volwassen leven."

"Natuurlijk." Michelle knikte met een vroom gezicht. "Laat ik mijn mond maar houden. Het is waarschijnlijk makkelijker om je inderdaad gewoon gelijk te geven."

"Het kan me niet schelen om welke reden je het doet, als de boodschap maar duidelijk is," grijnsde Louise.

De sfeer sloeg ineens volledig om. Hun eerder serieuze gesprek veranderde in plagerijen over en weer en het ophalen van herinneringen aan hun jeugd, waarbij vooral heel veel gelachen werd. Michelle voelde zich een stuk beter dan die ochtend het geval was geweest. Op het gebied van haar werk had ze veel hulp aan Patricia, maar die was zo overduidelijk bezorgd om het welzijn van Michelle dat ze zich in haar bijzijn al snel zielig vond. Bij Louise had ze dat gevoel helemaal niet. Die deed tenminste normaal en ze ontzag haar nooit. Louise was een echte vriendin, bedacht ze dankbaar terwijl ze haar aan het eind van de middag uitzwaaide. Ze kwam regelmatig 's middags even bij haar langs, bood een luisterend oor op momenten dat Michelle daar behoefte aan had en wist haar aan het lachen te krijgen op dagen waarop ze dacht dat ze nooit meer zou kunnen lachen. Het loodzware onderwerp van de verkrachting en alle gevolgen vandien kon ze met Louise op normale toon bespreken, zonder dat die haar medelijdend aankeek of tragisch begon te zuchten. Wat dat betrof was ze een verademing vergeleken bij andere mensen.

Ondertussen had ze haar wel aan het denken gezet met haar opmerkingen van die middag. Het was waar, ze wás er nog en dat was iets om dankbaar voor te zijn. Die man had haar veel afgenomen, maar hier moest het stoppen. Dat was iets wat ze zelf in de hand had. Zij was de enige die kon bepalen hoe ze vanaf hier verder ging. Ze zou nooit kinderen van zichzelf kunnen krijgen en dat was een hard gelag, maar voor die verkrachting was ze zonder kinderen ook gelukkig geweest. Het moest toch mogelijk zijn om dat gevoel weer terug te krijgen. Er was haar tenslotte nog zoveel moois overgebleven. Ruben bijvoorbeeld. Michelle's hart werd warm terwijl ze aan hem dacht. Zonder hem was ze deze periode nooit door gekomen. Ook al zei hij niets wezenlijks waar ze echt iets aan had, zoals Louise wel deed, hij wás er en dat was voldoende. In alles wat hij zei of deed voelde ze zijn liefde voor haar en dat alleen was al genoeg voor haar om te blijven vechten. Als hij er niet was geweest had ze het waarschijnlijk opgegeven toen ze zo ziek was.

Ze keek naar hem zoals hij voor de tv zat, aandachtig de gebeurtenissen op het scherm volgend. Ze keken samen naar een film, maar zij was de draad van het verhaal allang kwijt. Ze had ineens zoveel om over na te denken. Louise's woorden bleven door haar hoofd heen malen en brachten haar tot nieuwe inzichten. Niet alles was de schuld van die man, besefte ze ineens glashelder. Louise had over eigen verantwoordelijkheid gesproken, dat ze die moest nemen, maar dat had ze al veel eerder moeten doen. Als ze na de verkrachting naar het ziekenhuis was gegaan en de morning after pil had geslikt, was ze niet zwanger geworden. Als ze na de abortus haar medicijnen in had genomen, zoals haar dokter gezegd had, was ze niet zo ziek geworden en had haar baarmoeder niet verwijderd hoeven worden. Dit alles kon ze niet zomaar op die man afschuiven, dat was te makkelijk, al was het wel met hem begonnen. Haar eigen verantwoordelijkheid speelde hierin een hele grote rol. Net zoals ze zelf verantwoordelijk was voor de rest van haar leven. Als ze werkelijk wilde dat het hier stopte, moest ze daar zelf iets aan doen. Het achter zich laten en opnieuw de draad van haar leven oppakken waar het een half jaar geleden was blijven liggen. Dat zou niet makkelijk zijn, maar ongetwijfeld wel de moeite waard. Ze wilde terug wat ze toen had. Weer gewoon gelukkig zijn, ondanks alles.

De film was inmiddels afgelopen en Michelle schrok op toen Ruben opstond en de tv uitschakelde.

"Goede film, hè?" zei hij.

Michelle keek naar zijn lange, gespierde lichaam, wat haar zo vertrouwd was. Voor het eerst sinds lange tijd voelde ze de behoefte om zijn lijf tegen het hare aan te voelen. Het was zo lang geleden dat ze echt samen waren geweest, ze miste het. Ook seks was een onderdeel van het leven, van geluk. Een onderdeel wat haar relatie met Ruben uniek maakte ten opzichte van haar relaties met andere mensen. Het enige wat exclusief van hen samen was. Als ze dan toch haar leven in eigen hand wilde nemen, moest ze daar wellicht eens mee gaan beginnen.

Als in trance stond ze op en langzaam liep ze naar hem toe, met haar ogen vast in de zijne.

"Wat ga je doen?" vroeg Ruben verwonderd toen ze langzaam begon de knopen van zijn overhemd open te maken.

"Ik kleed je uit," antwoordde ze glimlachend.

"Waarom?"

Ze hief haar gezicht iets naar hem op, er blonken pretlichtjes in haar ogen. "Doe eens een wilde gok. Kom op Ruben, het is toch niet zo lang geleden dat je het je niet meer kan herinneren?"

Zijn adem stokte toen haar handen over zijn blote huid streelden. "Je hoeft niets te doen wat je niet wilt," zei hij schor. "Dat weet je toch?"

"Maar ik wil het wel."

Ze meende het. Dit was Ruben, de man waar ze boven alles van hield. Seks met hem had helemaal niets te maken met waar die man haar toe gedwongen had. Seks met Ruben betekende liefde in zijn zuiverste vorm. Deze keer was ze absoluut niet van plan om op het laatste moment terug te krabbelen.

HOOFDSTUK 11

Het werd een lange warme zomer, waarin Michelle stukje bij beetje opkrabbelde en langzaam maar zeker haar oude leven weer hernam, al zou het nooit meer echt worden zoals vroeger. Haar onbezorgdheid was voorgoed verdwenen, afgenomen door een man die haar zijn wil had opgelegd ter wille van zijn eigen kick. De gevolgen, vooral haar kinderloosheid, drukten zwaar op haar. De dromen van vroeger over een eigen gezin had ze noodgedwongen opzij moeten zetten en er was nog niets anders voor in de plaats gekomen. Aan de andere kant had ze er wel vertrouwen in dat dat nog zou komen.

Op een avond kwam het onderwerp adoptie weer ter sprake tussen Ruben en haar.

"Heb je daar al eens over nagedacht?" vroeg hij.

"Niet echt, nee," bekende Michelle. "Ik ben meer bezig geweest met het proberen te accepteren dat we nooit een kind van onszelf zullen krijgen."

"Een adoptiekind zal ook van onszelf worden."

"Dat is iets wat ik me heel moeilijk voor kan stellen. Je krijgt ze niet als baby, meestal zijn ze al wat ouder. Ik weet het niet."

"We kunnen ons er wel vast een beetje in verdiepen," stelde Ruben voor. "De procedure duurt jaren, dus je hebt alle tijd om ernaar toe te leven."

"Is dat wel helemaal eerlijk naar zo'n kind toe?" vroeg Michelle zich hardop af. "Stel je voor dat ik me op het laatste moment alsnog terugtrek omdat ik het toch niet zie zitten, net als er een kindje op ons wacht."

"Zo'n vaart loopt dat niet. Als we ons voor adoptie inschrijven krijgen we toch eerst een uitgebreide screening. Het is echt niet zo dat we ons aanmelden en over een half jaar een kind hebben. Als het niet goed voelt voor je kunnen we op ieder moment de procedure stopzetten." Ruben startte zijn computer op. "We kunnen allicht wat informatie verzamelen."

Michelle stond op en ging naast hem aan zijn bureau zitten. Zonder de tekst echt in zich op te nemen staarde ze naar het scherm. Ze wist niet goed onder woorden te brengen waarom, maar haar geest leek zich te verzetten tegen deze plannen. Ze voelde een weerzin in zich opstijgen waar ze geen argumenten voor kon vinden, maar die zich niet weg liet stoppen. Ruben leek dit echter zo graag te willen dat ze niet anders kon dan interesse veinzen. Tenslotte was het haar schuld dat hij nooit vader zou worden. Het minste wat ze kon doen was hem bijstaan in zijn plannen. Eigenlijk was ze zelfs verplicht om inderdaad een kind te adopteren, dacht ze terwijl ze hem van opzij bekeek. Als hij dit zo graag wilde, mocht zij hem daar niet in tegenhouden. Adoptie was zijn enige kans om zijn droom nog een beetje uit te laten komen. En dat kwam door haar.

"Je moet het niet doen als je er niet honderd procent achter staat," zei Ruben alsof hij haar gedachten kon lezen. "Een kind adopteren doe je voor het leven. Je kunt hem of haar niet wegdoen als het niet bevalt."

"Ik moet nog wat aan de gedachte wennen," zei Michelle voorzichtig.

"Dat zei ik al. Een dergelijke beslissing neem je ook niet zomaar. We gaan ons verdiepen in de mogelijkheden en dan zien we wel verder, oké? Naar welk land gaat je voorkeur in principe uit?"

Michelle schrok op. "Hoe bedoel je, uit welk land? Gewoon uit Nederland natuurlijk."

"Dat wordt lastig," wist hij te melden. Michelle leidde daaruit af dat hij al eerder naar informatie op zoek was geweest. Hij wilde dit blijkbaar nog liever dan zij dacht. Mocht zij dan de stoorzender zijn? Ze vermande zich en dwong zichzelf te luisteren naar wat hij vertelde. "In Nederland zijn de wachtlijsten ellenlang. Hier worden niet veel kinderen afgestaan voor adoptie. Er zijn speciale bureaus die bemiddelen bij adoptie uit het buitenland. Vanuit China worden bijvoorbeeld veel kinderen aangeboden, vanwege de één-kind-regeling die daar geldt."

"Het klinkt me een beetje in mijn oren als veehandel," kon Michelle niet nalaten op te merken. Haar weerzin groeide met de minuut. Een kind van een ander was één ding, maar een kind uit het buitenland? Een bruin kindje wat hier ook nog eens te maken zou krijgen met discriminatie? Ze wist niet of ze daar mee om zou kunnen gaan. Zou ze werkelijk van een kind kunnen gaan houden waaraan duidelijk te zien was dat het niet uit hen geboren was? Daar durfde ze niet zonder meer bevestigend op te antwoorden. Ze had altijd al bewondering gehad voor mensen die dat wel konden en die bewondering groeide nu ze zelf met deze vraag werd geconfronteerd.

"De eerste stap is het indienen van de aanvraag," ging Ruben verder. "Daarna is er de toelating tot de procedure, wordt er een gezinsonderzoek uitgevoerd en wordt er wel of geen beginseltoestemming verleend."

Hier duizelde het Michelle al. Het klonk allemaal zo klinisch.

Natuurlijk was het logisch dat aanstaande adoptieouders moesten worden gescreend, maar wat ze nu allemaal hoorde sloeg in haar overspannen verbeelding nergens op.

"We moeten qua kosten wel aan zo'n tienduizend euro denken," hoorde ze Ruben zeggen. "En eventueel gederfde inkomsten als we zelf ons kindje uit het buitenland ophalen. Dat duurt vaak vrij lang. Jouw winkel moet gedurende die periode overgenomen worden door een ander, ik heb maar een beperkt aantal vakantie-dagen waarvan ik er uiteraard ook nog wat wil bewaren voor als het kind hier is. Ik zal dus een aantal weken onbetaald verlof op moeten nemen. Dat wordt sparen, schat." Hij lachte. "Geen reisjes naar Disneyland meer voorlopig. Maar over een paar jaar gaan we daar met ons kind naar toe. Hoe klinkt dat?"

"Ik wil het niet," zei Michelle plotseling. Ze schrok er zelf van dat haar gedachten ineens een uitweg via haar mond zochten. Dat was haar bedoeling niet geweest. Het hele idee stond haar echter zo tegen dat ze zich niet meer in had kunnen houden.

"Wat bedoel je?" vroeg Ruben. Zijn kaaklijn spande zich.

"Dit. Adoptie. Ik wil het niet," zei Michelle nog een keer. Ze werd iets rustiger nu die woorden eruit waren. De spanning die het afgelopen half uur in haar lichaam was opgebouwd, liet ze los. Ze haalde diep adem voor ze verder sprak. "De hele procedure en alles erom heen wekt alleen maar mijn weerzin op. Voor mijn gevoel is het net of we op deze manier een kind kopen. Het voelt niet goed."

"Onzin," weerlegde hij meteen. "Die kosten zijn om de bureaus en advocaten en dergelijke te betalen. Die bemiddeling is hard nodig om de risico's voor de kinderen zoveel mogelijk te beperken, zodat ze niet in handen vallen van mensenhandelaars of, nog erger, in de seksindustrie. Het is niet zo dat je een smak geld neer legt om vervolgens een kind uit te kiezen."

"Dat weet ik wel, maar mijn gevoel komt hier tegen in opstand. Een vreemd kind, uit een vreemd land, met de hele rompslomp er omheen en dan ook nog eens tegen zulke bedragen." Michelle schudde wild met haar hoofd. "Het is niets voor mij. Je zei net dat je er honderd procent achter moet staan en dat doe ik niet."

"Ik zei ook dat we nu alleen informatie in gaan winnen en dat je alle tijd krijgt om aan het idee te wennen," zei Ruben. "Jij hebt je mening echter al gevormd en je beslissing genomen, zo te horen."

"Misschien denk ik er over een jaar anders over," zei Michelle. Ze wist wel zeker van niet, maar wilde dat niet plompverloren voor zijn voeten gooien.

Met een woest gebaar schakelde Ruben zijn computer uit. "Dan wachten we dat maar af," zei hij met een strak gezicht.

"Het spijt me," zei Michelle kleintjes. "Ik weet dat jij dit graag wilt, maar het is een te belangrijke stap om mijn eigen gevoelens voor te verloochenen. We hebben het hier niet over een kat of een goudvis."

"Je weet dat zo'n procedure jaren in beslag neemt. Wat is er op tegen om ons alvast in te schrijven? Dat verplicht je tenslotte nog tot niets."

"Denk je niet dat ik dan door de mand val bij het gezinsonder- zoek?" vroeg Michelle lichtelijk sarcastisch. "Als ze me dan vra- gen hoe ik er tegenover sta en wat mijn beweegredenen zijn om tot adoptie over te gaan moet ik toch eerlijk antwoord geven."

Ruben haalde bokkig zijn schouders op. Hij was nu niet in de stemming voor een redelijk gesprek, begreep Michelle. Ze kon het hem ook niet kwalijk nemen. Als ze destijds naar hem had geluisterd en meteen na de verkrachting naar het ziekenhuis was gegaan, waren de gevolgen voor hen niet zo verstrekkend geweest als nu het geval was. Dan was ze, voor zover ze wist althans, nog gewoon vruchtbaar geweest en hadden ze zelf een gezin kunnen stichten. Dat dit niet meer mogelijk was, was haar schuld. Hij had haar daar nooit een verwijt over gemaakt, maar nu was zij alweer degene die er de oorzaak van was dat zijn wens niet in vervulling ging. Ze kon zich best voorstellen dat hij even helemaal genoeg van haar en haar problemen had.

"Wil je erover praten?" vroeg ze desondanks toch.

"Wat valt er nog te zeggen? Jij wilt niet, daarmee houdt het op."

"Voor nu, ja. Dat wil niet zeggen dat ik er altijd zo over blijf denken," zei Michelle in weerwil van haar gevoelens. "Misschien is het nog te vroeg na alles."

Ruben staarde langs haar heen naar de muur achter haar. "Ik ken jou een beetje, dus daar ga ik maar niet vanuit," merkte hij ironisch op.

"Ben je nu boos op me?"

Weer schokte hij met zijn schouders. "Boos is het woord niet. Eerder teleurgesteld. Gedesillusioneerd. Het is of ik tegen een muur oploop. De weg naar kinderen van onszelf is afgesneden en andere wegen worden geblokkeerd. Ik vind het heel moeilijk om me erbij neer te moeten leggen dat ik nooit vader zal worden."

"En dat verwijt je me," constateerde Michelle.

"Nee." Zijn antwoord kwam meteen, zonder aarzelen. Nu keek hij haar wel aan. "Denk dat nooit, want zo is het niet. Je moet hier absoluut niet aan beginnen als het niet goed voelt. Gevoelens zijn nu eenmaal niet te dwingen."

"Maar als ik die avond..."

"Hou op," onderbrak hij haar. "Ik weet wat je wilt gaan zeggen, maar dat wil ik niet horen. Het is niet jouw schuld. Wat er allemaal gebeurd is, is heel erg, maar het was een samenloop van omstandigheden."

"Omstandigheden die anders af hadden kunnen lopen als ik verstandiger geweest was," zei Michelle toch.

"Ik heb gezien hoe je eraan toe was, denk je werkelijk dat ik je ooit kwalijk zal kunnen nemen dat je niet verstandig hebt gehandeld?" vroeg Ruben geëmotioneerd.

"Ik neem het mezelf kwalijk."

"Dat moet je niet doen. Dat helpt trouwens niet meer. De situatie is zoals hij is, daar zullen we mee moeten leren dealen. Ik weet alleen niet altijd hoe ik dat moet doen."

"Jij denkt dat het anders is als we toch een gezin hebben," begreep Michelle. "Omdat we dan kunnen doen alsof het niet gebeurd is. Dan kun je een lange neus trekken naar het verleden en 'lekker puh' roepen omdat de plannen die we daarvoor hadden toch verwezenlijkt zijn."

Het bleef even stil na die woorden.

"Dat is het niet alleen," zei Ruben toen. "Ik wil ook gewoon vader zijn. Dat is een gevoel wat je niet zomaar uit kunt schakelen. Wat mij betreft hoeft het niet persé een eigen kind te zijn, al is het natuurlijk leuk om bepaalde karaktertrekjes en uiterlijke kenmerken van jezelf in een kind terug te zien. Maar daar gaat het niet alleen om. Ik wil mijn kind de wereld leren ontdekken, met hem spelen, hem van alles leren. Er een evenwichtige volwassene van maken."

Michelle luisterde stil naar hem. Ruben was nooit zo goed in het uiten van zijn gevoelens, dus deze woorden raakten haar diep. Ze voelde zichzelf er nog ellendiger door omdat zij degene was die deze dromen tegenhield. Hij had zoveel voor haar gedaan, dit verdiende hij niet.

"Misschien moeten we ons toch maar inschrijven," zei ze moeizaam.

Heel even lichtten zijn ogen op, daarna schudde hij zijn hoofd.

"Dat lijkt me niet verstandig. We wachten gewoon nog een jaartje en dan bekijken we het opnieuw. Het is ook inderdaad wel snel na alles. Laten we onszelf de tijd gunnen en geen overhaaste stappen nemen. Dit is trouwens niet iets wat je voor mij moet doen, Michelle. Je moet er zelf achter staan."

"Ik weet niet of ik dat punt ooit zal bereiken," zei ze eerlijk. "Maar ik gun jou het vaderschap."

"Dat is geen basis om aan zoiets belangrijks te beginnen. Laten we er nu maar over ophouden," verzocht hij. "Komt er nog iets leuks op tv?" Hij zette het toestel aan en was al snel verdiept, althans uiterlijk, in een documentaire.

Michelle zat in gedachten verzonken naast hem, zij had geen oog voor het televisiescherm.

Ruben was een fantastische echtgenoot. Hij had haar geweldig opgevangen en alles met haar samen beleefd. Het afgelopen jaar had ze geen moment het gevoel gehad dat ze er alleen voor stond. Juist daarom gunde ze het hem zo dat zijn liefste wens werd vervuld. Maar hoe? Het hele adoptiegebeuren stond haar echt tegen en ze betwijfelde of dat ooit zou veranderen. Ze kon het een kind niet aandoen om het alleen in huis te nemen om haar man een plezier te doen, dacht ze met iets van haar oude nuchterheid.

Ze stond op om de gordijnen dicht te doen en zwaaide naar Carla, die net uit haar autootje stapte. Haar gezicht stond bedrukt, zag Michelle. Carla zwaaide terug, maar niet zo opgewekt als ze anders altijd deed. Michelle vermoedde dat haar buurvrouw weer eens was gedumpt door een man. Carla kon enorm in de put zitten na zoiets, om vervolgens drie dagen later met een volgende vriend op de proppen te komen. De mannen die ze in de loop der tijd het buurhuis binnen had zien gaan, waren niet meer te tellen. Ze haalde haar schouders op en vergat Carla meteen weer.

Als ze echter had geweten waar Carla zich op dat moment mee bezighield, was ze waarschijnlijk minder onverschillig geweest. Carla zette haar boodschappentas op het aanrecht en haalde er meteen een klein pakketje uit, zonder acht te slaan op de rest van haar spullen. Met haar jas en schoenen nog aan ging ze op het puntje van de bank zitten, ondertussen aandachtig de gebruiksaanwijzing lezend die ze uit het doosje had gehaald. Drie minuten, las ze. Drie minuten voordat ze wist of haar leven volledig overhoop zou worden gegooid of niet.

Maar wie hield ze hier nu voor de gek? Ze sloot haar ogen en leunde achterover in de kussens. Ze wist allang dat ze zwanger was, daar had ze deze test niet meer voor nodig. Sinds de gedachte vorige week voor het eerst bij haar opgekomen was, had ze steeds meer tekenen ontdekt die in die richting wezen. Haar al opbollende buik zei trouwens al genoeg. Normaal gesproken kon ze door een brievenbus heen, zei haar broer vroeger altijd plagend. Tegenwoordig redde ze de vuilcontainer niet eens, dacht ze wrang bij zichzelf. Stelselmatig had ze alle symptomen genegeerd, hopend dat het niet waar zou zijn als ze er niet over nadacht. De afgelopen week was haar buik echter zo gegroeid dat ontkennen geen zin meer had. Die buik vertelde haar trouwens ook dat de zwangerschapsduur wel eens langer zou kunnen zijn dan ze nu dacht. Veel langer. Sinds ze de pil slikte was ze niet meer ongesteld geworden, dus ze had geen referentiekader op dat gebied. Het kon net zo goed zes maanden als zes weken zijn. Ze hoopte het laatste, zodat ze nog op tijd was om er iets aan te laten doen, maar kijkend naar haar lichaam vreesde ze het laatste.

Ondanks dat haar gevoel haar allang vertelde wat haar hersens niet wilden weten, voerde ze even later toch de test uit. Nog voordat de officiële tijd verstreken was zag ze het streepje wat haar vermoedens bevestigde al verschijnen. Ze vloekte hardop. Dus toch! Met alles wat in haar was had ze tot het laatste moment toe gehoopt dat het niet waar was, dat er een andere verklaring was voor haar groeiende lichaam, pijnlijke borsten en ongelimiteerde eetbuiten. In dat laatste zag ze overigens een lichtpuntje, omdat die haar momenteel overtollige kilo's konden verklaren. In dat geval was ze toch minder ver dan ze vreesde.

Toen begon ze te huilen. Daar zat ze dan, vijfendertig jaar, zonder familie in de buurt bij wie ze terecht kon, met een baan die ze uitvoerde omdat het haar salaris betaalde maar waar ze geen affectie mee had, single en zwanger van een baby waarvan ze niet wist wie de vader was. Er waren veel kandidaten voor het vaderschap, dacht ze met enige wroeging. Ze nam het nu eenmaal nooit zo nauw op dat gebied. Een charmante lach van een leuke man was voor haar al genoeg om hem mee naar huis te nemen. Soms voor één nacht, soms wat langer. Een enkele keer maakte zij er een eind aan, meestal was het de man in kwestie die niets meer van zich liet horen. Zolang ze niet wist hoe lang ze precies zwanger was, kon ze ook niet uitrekenen wie de verwekker van dit kind was. Maar als ze dat wel wist, wat dan nog? Er was geen enkele man bij met wie ze een gezinnetje wilde stichten, dus om ellende te voorkomen was ze zeker niet van plan de aanstaande vader op de hoogte te stellen. Ze wilde trouwens sowieso geen kind. Carla had nooit de behoefte gevoeld om zich voort te planten, daar veranderde deze positieve test niets aan. Er was geen haar op haar hoofd die eraan dacht dit kind te houden.

In haar wanhoop wendde ze zich tot de enige persoon die ze kon bedenken. Zonder de moeite te nemen haar jas weer aan te trekken, liep ze de deur uit, naar het buurhuis. Het was Ruben die opendeed, hij keek enigszins verstoord toen hij zag wie er voor de deur stond. Carla was niet bepaald zijn favoriet.

"Is Michelle er?" vroeg Carla huilend.

Zwijgend deed Ruben een stap opzij. Net als Michelle een kwartier eerder was zijn eerste gedachte dat Carla weer eens gebruikt was door een man die haar vervolgens had laten zitten en dat ze haar verdriet daarover bij hen uit kwam huilen. De test die ze krampachtig in haar handen hield, ontging hem.

Het viel Michelle wel meteen op. Haar ogen vlogen van de test naar Carla's behuilde gezicht. Meer informatie had ze niet nodig. "Je bent zwanger." Ze stelde het als een vaststaand feit en was niet verbaasd toen Carla knikte. "Hoe lang?"

"Geen idee," snikte Carla. "En nee, ik weet ook niet van wie."

"Dat verbaast me niets," mompelde Ruben zacht. Iets harder vervolgde hij: "Ik ga naar boven, hoor. Ik zie je straks wel." Haastig maakte hij zich uit de voeten. Dergelijke uitbarstingen waren niets voor hem, zeker niet als ze van Carla kwamen. De keren dat ze ondertussen bij hun op de bank had zitten huilen waren allang niet meer op de vingers van twee handen te tellen.

"Ik wil dit kind niet," huilde Carla verder. "Wat moet ik nou met een baby? Dat is niets voor mij, Mich, dat weet je toch? Ik ga morgen naar mijn dokter om over een abortus te praten. Wil jij dan met me meegaan? Alsjeblieft?"

Michelle sloot haar ogen. Na het gesprek wat ze eerder die avond met Ruben had gevoerd, was dit extra wrang. Ze kon Carla haar hulp echter niet weigeren. Haar buurvrouw had niemand anders, wist ze. Ze beschouwde Michelle als haar beste vriendin, al waren die gevoelens zeker niet wederzijds. Maar ze kon haar nu niet in de steek laten, zelfs niet nu dit onderwerp voor haar zo gevoelig lag. Met medelijden in haar hart keek ze naar haar wanhopige buurvrouw. Het was nu zaak haar eigen gevoelens even opzij te zetten. Ze hoopte dat ze daar toe in staat was.

HOOFDSTUK 12

"Is ze helemaal gek geworden?" viel Ruben uit nadat Michelle hem verteld had wat Carla haar gevraagd had. "Jij bent daar zeker niet de aangewezen persoon voor na alles wat je mee hebt gemaakt."

"Ze heeft niemand anders," beleed Michelle. "Ik vind het inderdaad moeilijk, maar ik kan haar toch niet laten barsten omdat ik met mezelf in de knoop zit? Zij heeft mij ook geholpen toen dat nodig was."

"Dan nog. Dit is wel even van een andere orde. Jij was een slachtoffer, zij heeft het zichzelf aangedaan," meende Ruben hard.

"Daar meen je niets van," zei Michelle echter kalm. "Dit roep je nu alleen uit bezorgdheid voor mij. Jij zou normaal gesproken de eerste zijn om Carla te helpen, eigen schuld of niet."

"Hebben wij, en zeker jij, niet even het recht om egoïstisch te zijn?" vroeg hij zich hardop af. "Je beseft toch zeker wel dat het een enorme aanslag op je eigen gevoelsleven is als je Carla hierin bijstaat? Je eigen wonden zijn nog zo verschrikkelijk vers."

"Dat heb ik zelf ook allemaal bedacht, toch kan ik het niet over mijn hart verkrijgen om haar te zeggen dat ze maar alleen moet gaan." Michelle zuchtte diep. "Aan haar familie heeft ze niets, dat weet je. Echte vrienden heeft ze ook niet. Ze beschouwt mij als haar hartsvriendin."

"En de vader van de baby dan?"

"Ze weet niet wie het is."

Ruben lachte schamper. "Dat bedoel ik. Iedere mannelijke inwoner van deze stad staat hiervoor kandidaat, toch ben jij degene die met haar mee moet naar de dokter."

"Ze weet niet wie het is omdat ze niet weet hoe ver haar zwanger-schap is," verbeterde Michelle zichzelf.

"Dan nog," bromde Ruben. "Ik kijk helemaal niet vreemd op als de vader dan nog niet bekend is. Ze sleept iedereen mee naar haar huis. Als ze niet minstens een agenda heeft waarin ze bijhoudt met wie ze wanneer heeft geslapen, maakt de zwangerschaps-duur nog niets duidelijk."

"Dat zijn onze zaken verder niet. Carla is volwassen, die moet zelf weten hoe ze haar leven leidt."

"Ze moet ook zelf de consequenties van die levensstijl aanvaar-den en ze niet op het bord van een ander neerleggen."

"Het is niet vreemd dat ze in dit soort omstandigheden steun zoekt in haar omgeving. Helaas is die omgeving beperkt en kom ik daar dus voor in aanmerking. Ik had het zelf ook liever anders gezien, maar de feiten liggen nu eenmaal zo."

"Kan Louise het niet van je overnemen?" stelde Ruben voor.

"Louise en Carla kennen elkaar ongeveer net zo goed als Carla en jij. Ze zal het vast willen doen."

"Dat is een goed idee, ik ga het haar morgen meteen vragen," nam Michelle zich voor.

Blij met deze uitweg kroop ze onder haar dekbed, al wist ze van tevoren al dat dit weer een slapeloze nacht zou worden. De ge-dachten tolden rond in haar hoofd en ze kon ze niet stopzetten, hoe hard ze dat ook probeerde. Het ging zo goed de laatste tijd, maar ze was nog steeds kwetsbaar, dat merkte ze nu wel weer. Carla's problemen hadden haar behoorlijk van haar stuk gebracht en haar weer een stuk teruggeworpen in de tijd. Wat op zich best vreemd was, want de zorgen van haar buurvrouw waren in niets te vergelijken met wat zij had meegemaakt, peinsde ze in het donker. Wat dat betrof had Ruben wel gelijk; Carla had het zichzelf aangedaan. Toch vond Michelle dat geen reden om haar hulp te weigeren. Als iedereen altijd alleen kreeg wat hij verdiende, stond het er heel slecht voor in de wereld, meende ze. Maar dat het moeilijk voor haar was, stond buiten kijf. De oneerlijkheid van het leven werd door deze situatie weer eens extra benadrukt voor haar. Zij wilde niets liever dan een kind, maar kon die wens door toedoen van een ander niet verwezenlijken en Carla, de laatste persoon op aarde die moeder wilde worden, overkwam het gewoon.

Michelle sliep inderdaad weinig die nacht. De volgende ochtend ging ze al vroeg naar Louise om haar het verhaal uit te leggen. Ze wist dat Louise nooit voor tienen naar beneden ging om aan het werk te gaan, behalve als ze erg veel opdrachten hadden. Ze wilde graag zelf Tessa uit bed halen, aankleden, met haar ontbijten en nog even spelen voor de werkdag begon en Beatrice haar taken in huis overnam.

Zoals Michelle al verwacht had, had Louise net met Tessa ontbeten en was ze in de keuken bezig met opruimen. Tot haar opluchting was van Beatrice nog geen spoor te bekennen, die was nog boven in haar eigen afdeling.

"Ben je uit bed gevallen?" was Louise's begroeting.

"Ik heb je hulp nodig," viel Michelle met de deur in huis.

Louise zette Tessa met wat speeltjes in de box en wees uitnodigend naar haar bank.

"Vertel."

Zonder omwegen deed Michelle het verhaal uit de doeken.

"Ik zie er enorm tegenop, dus wil ik aan jou vragen of jij met Carla mee wilt gaan," eindigde ze haar verhaal.

"Naar de abortuskliniek?" vroeg Louise met gefronste wenkbrauwen.

"In eerste instantie natuurlijk naar de huisarts, daarna waarschijnlijk naar het ziekenhuis voor een echo. En ja, dan naar de abortuskliniek," beaamde Michelle. "We kunnen haar niet in de steek laten nu."

"Jij bent tegen abortus," zei Louise zonder een antwoord te geven.

"Mijn mening doet er niet toe. In normale omstandigheden zou ik er inderdaad niet over piekeren om een vrucht weg te laten halen, maar dit is Carla's leven, dus ook haar keus. Iedereen moet daarin zijn eigen beslissingen nemen. Als dit voor haar de juiste keus is ben ik de laatste om daar een oordeel over te vellen, maar nu…" Ze huiverde licht. "Nu weet ik niet zeker of ik het aankan, vandaar mijn vraag aan jou. Het was Rubens idee."

Louise gaf nog steeds geen antwoord. Ze staarde langs Michelle heen naar de muur en beet op haar onderlip.

"Liever niet," zei ze na een lange stilte.

Michelle keek verbaasd op. Het was niets voor Louise om haar hulp te weigeren, dus dit antwoord had ze zeker niet verwacht.

"Niet?" herhaalde ze voor de zekerheid, alsof ze bang was dat ze het verkeerd had verstaan.

"Als je het me een maand eerder had gevraagd had ik ja gezegd. Ik vind het moeilijk om tegen je te zeggen, Michelle, maar…"

"Je bent zwanger," begreep Michelle zonder verdere uitleg.

Louise knikte bevestigend. "Ja. We hebben drie dagen geleden de test gedaan. Ik had het je al eerder willen zeggen, maar ik durfde niet goed. Het moet moeilijk voor je zijn."

Michelle stond op en omhelsde Louise, daarbij de tranen in haar ogen verbergend.

"Wat fijn voor jullie. Gefeliciteerd," zei ze gesmoord. "Dat had je best kunnen zeggen. Hoe ver ben je?"

"Een kleine twee maanden. Het spijt me, maar ik zie me niet naast Carla zitten om haar handje vast te houden als ze haar kind weg laat halen. Dat gaat dwars tegen mijn eigen gevoelens in."

"Dat begrijp ik." Met een snel gebaar veegde Michelle langs haar ogen, daarna rechtte ze haar rug. "Oké, dan doe ik het. Voor mij is het minder beladen dan voor jou op dit moment."

"Weet je dat heel zeker?" vroeg Louise bezorgd. "Niemand zal het je kwalijk nemen als je het niet kunt. Behalve Carla zelf misschien, maar als die het niet begrijpt zou ik me daar niet zo druk om maken als ik jou was. Wie zijn billen brandt, moet op de blaren zitten."

"Ruben zei iets van dezelfde strekking, maar zo zit ik nu eenmaal niet in elkaar. En misschien is het juist heel goed voor me," bedacht Michelle. "Ik kan niet mijn leven lang dergelijke zaken ontwijken omdat ze gevoelig liggen. Wellicht is het het beste als ik er dwars doorheen ga op deze manier."

"Ik help het je hopen. In ieder geval kun je bij mij altijd je hart luchten, dat weet je. Ernaast gaan zitten is me teveel, maar ik ben er wel voor je." Louise keek Michelle ernstig aan. "Ik hoop niet dat mijn zwangerschap iets verandert in onze vriendschap."

"Natuurlijk niet. Ik ga heel erg met je meeleven en ik ben de eerste die straks op kraamvisite komt," beloofde Michelle haar.

Er krampte iets in haar hart bij deze woorden, maar daar wilde ze niet aan toegeven. Louise was haar beste vriendin. Meer dan een vriendin zelfs. Ze wilde blij voor haar zijn. Dat was ze ook, ze gunde haar van harte het geluk, ongeacht de pijn die Louise's mededeling bij haarzelf veroorzaakte. Daar moest ze mee leren omgaan. Er werden iedere dag kinderen geboren, daar kon ze nu eenmaal niet omheen. Maar moeilijk was het wel.

Louise keek Michelle even later door het raam bezorgd na, haar handen op haar buik gevouwen. Ze was blij dat het hoge woord eruit was, want ze had er enorm tegenop gezien om Michelle deelgenoot te maken van haar zwangerschap. Haar reactie was gelukkig beter geweest dan ze had durven hopen, al was ze er-van overtuigd dat Michelle niet al haar ware gevoelens had laten zien. Ze had het glazen masker weer opgezet. Doorzichtig, maar ondoordringbaar.

Michelle was sterk, maar er moest toch een eind zitten aan wat ze kon verdragen. Louise vroeg zich oprecht af hoeveel ze nog kon hebben. Ze kon alleen maar hopen dat de abortus van Carla niet de spreekwoordelijke druppel zou blijken te zijn.

Bij Carla's huisarts, een andere dan Michelle had, waren ze snel klaar. Hij luisterde onbewogen naar Carla's verhaal en schreef zonder daar dieper op in te gaan een verwijzing voor een echo uit. Drie dagen later kon ze daar terecht.

"Ik ben zo blij dat jij erbij bent," fluisterde Carla terwijl ze met ontbloot onderlijf op de onderzoekstafel lag in afwachting van de radioloog die de echo uit zou voeren.

Michelle gaf daar geen antwoord op. Ze staarde naar Carla's buik, die behoorlijk uitstak. Ze zou haar hoed opeten als de radioloog straks vertelde dat ze minder dan vier maanden was, dacht ze bij zichzelf. Carla kon zoveel eetbuiten hebben als ze wilde, dat verklaarde nog niet deze bobbel. Als dit alleen van het eten was, zou het niet zo stevig zijn, maar meer lubberen. Het leek erop dat Carla bezig was met een potje struisvogelpolitiek, want zelf moest ze dit toch ook zien. Ze hield haar vermoedens voor zichzelf. Haar gedachten uitspreken betekende ook dat ze het over de consequenties ervan moesten hebben, want dan was een abortus zeker niet meer mogelijk. Diep in haar hart was Michelle daar blij om, want ze had nooit begrepen dat vrouwen een dergelijke ingreep uit konden laten voeren zonder dat daar een dringende, specifieke reden aan ten grondslag lag, zoals bij haarzelf. Haar gevoel was daar altijd tegen in opstand gekomen. Aan de andere kant betekende dat wel dat er straks een kindje geboren werd wat niet welkom was bij de moeder en dat was zeker geen ideale situatie.

De radioloog die binnen kwam mompelde een onverstaanbare groet en toog meteen aan het werk. Door middel van een sensor op Carla's buik werden de beelden op het scherm zichtbaar. Carla keek er niet naar, maar Michelle kon haar ogen er niet vanaf houden. Veel verstand had ze hier niet van, maar ze moest zich heel sterk vergissen als dit niet al een complete baby was, die alleen nog moest groeien voor het klaar was om geboren te worden.

"Bijna zes maanden," zei de radioloog inderdaad nadat hij enkele berekeningen had uitgevoerd. Hij wierp een blik op de status van Carla. "U bent hier om de zwangerschapsduur te bepalen, lees ik. Had u er werkelijk geen idee van dat u in verwachting bent?" Het klonk sceptisch.

"Tot een aantal dagen geleden niet, nee. Al begon ik mijn vermoedens te krijgen toen mijn buik begon uit te zetten," antwoordde Carla. "Zes maanden? Weet u dat heel zeker?"

"Dit apparaat liegt niet. Wilt u de baby niet zien?" Hij keek naar de vrouw op zijn tafel, die haar ogen strak op de muur gericht hield en haar hoofd schudde.

"Kijk nou," drong Michelle aan. "Dit is jouw kindje, daar kun je niet meer omheen."

"Ik wil geen kind," zei Carla bokkig.

"Het is nu geen kwestie meer van wel of niet willen. Het is er al. Zie ik goed dat het een jongetje is?" vroeg Michelle gespannen. Ze boog zich iets verder naar voren om niets te hoeven missen van de beelden op het scherm.

"Klopt. Hij ligt er inderdaad uitstekend voor." De radioloog begon Carla's buik droog te wrijven. "Ik maak een paar afdrukken, dan kunt u er thuis naar kijken op het moment dat u er zelf aan toe bent," beloofde hij.

Het was Michelle die hem hiervoor bedankte, Carla hield haar mond stijf gesloten. Ze stopte de foto's in haar tas zonder er naar te kijken. Zwijgend verlieten ze het ziekenhuis. Pas later, bij Michelle thuis, begon Carla te praten.

"Geen abortus dus," zei ze toonloos. "Ik zit er gewoon aan vast."

"Jij niet alleen, deze baby heeft ook nog een vader," merkte Michelle op. "Weet je nu wel wie dat is? Hij kan zijn verantwoordelijkheden niet ontlopen."

Carla lachte cynisch. "Ik weet wie het is, ja. Jacob, de man die ik destijds via internet heb ontmoet, weet je nog? Die vergeten was me te vertellen dat hij getrouwd was. Over verantwoordelijkheid gesproken."

"Ga je het hem vertellen?"

Carla schokte met haar schouders. "Dat denk ik niet. Wat kan hij ermee? Hij zal zijn vrouw niet verlaten om samen met mij een gezinnetje te stichten. Trouwens, dat wil ik ook niet. Ik wil dit allemaal niet." Ze klopte op haar buik. "Niet samen met een man, niet in mijn eentje. Gewoon niet."

"Daar is het nu te laat voor," zei Michelle verstandig. Ze stond op. "Koffie?"

"Ik heb liever een borrel."

"Echt niet. Je bent zwanger."

Ineens liepen de tranen over Carla's wangen. "Dat zal ik moeten accepteren, hè? Maar ik wil niet zwanger zijn, ik wil geen moeder zijn, ik wil geen kind."

Michelle ging weer zitten, de koffie latend voor wat het was. "Er is heel veel wat je niet wilt, maar dat punt ben je voorbij," zei ze zacht. "Je moet dealen met de realiteit en die is dat er over zo'n drie maanden een baby wordt geboren. Een baby die volledig afhankelijk is van jou, zijn moeder."

"Arm kind," zei Carla spottend. "Waarom worden kinderen niet gewoon geboren in gezinnen waar ze welkom zijn? Zoals bij jullie bijvoorbeeld. Nemen jullie mijn kind maar. Dan ben ik er vanaf en hebben jullie wat jullie willen. Iedereen gelukkig."

"Nu praat je onzin," zei Michelle kortaf. "Je kunt een baby niet wegdoen als een cadeautje wat je niet bevalt. Ga naar huis, slaap er een paar nachten over en zet alles voor jezelf op een rijtje. Je kunt niet langer net doen alsof er niets aan de hand is, dat heb je al te lang gedaan."

"Je hebt gelijk. Ooit zal ik mijn verantwoordelijkheden moeten nemen." Het klonk niet berustend of verstandig, eerder spottend. "Alsof ik mijn moeder hoor praten. Die zal ongetwijfeld zeggen dat ze me gewaarschuwd heeft en dat dit mijn eigen schuld is. Enfin, bedankt dat je met me mee bent gegaan."

"Graag gedaan," zei Michelle niet helemaal naar waarheid.

Met een zucht van verlichting sloot ze de deur achter Carla. Ze mocht haar buurvrouw graag, maar op dit moment had ze even helemaal genoeg van haar. In bijna iedere zin die Carla had gebezigd, waren de woorden 'ik wil niet' voorgekomen. Als een verwend kind wat zijn zin niet kreeg. Ze had van tevoren ook kunnen bedenken dat een abortus wellicht niet meer mogelijk was, maar die gedachte was blijkbaar nog niet echt in haar hoofd opgekomen. Of ze deed alsof, omdat ze niet goed om kon gaan met de realiteit. Michelle wist het niet. Het enige wat ze wist was dat ze volledig uitgeput was na deze dag. Hoewel ze van plan was geweest om na het bezoek aan het ziekenhuis nog een paar uur te werken, besloot ze nu de boel de boel een keer te laten. Ze ging lekker naar bed met een goed boek. Even helemaal tot rust komen en afleiding zoeken in het verhaal van een ander. Ze pakte een gezellige roman uit haar kast, kleedde zich uit, sloot de gordijnen in de slaapkamer en dook onder het dekbed. Haar telefoon zette ze uit, want ze wilde ongestoord lezen. Eigenlijk best lekker, genoot ze. Dit deed ze nooit overdag. Waarom eigenlijk niet? Ze had tenslotte de tijd aan zichzelf. Ze hoefde niet van negen tot vijf te werken, dat bepaalde ze helemaal zelf.

Het boek boeide haar zo dat het haar lukte om alle gedachten aan Carla van zich af te zetten. Door het spijbelgevoel wat ze had kwam ze helemaal tot rust. Op een gegeven moment werden haar ogen zwaar en viel ze in een diepe, droomloze slaap, waaruit ze ontwaakte toen Ruben op de rand van het bed kwam zitten.

"Ben je ziek?" vroeg hij bezorgd.

"Nee." Michelle rekte zich lekker uit. "Gewoon lui. Ik had vanmiddag geen zin meer om iets te doen, vandaar. Ik besloot mezelf een vrije middag te geven, dan verwerk ik vanavond mijn bestellingen wel."

"Groot gelijk. Was het een zware dag voor je?" Hij keek haar peilend aan, met een ongeruste blik in zijn ogen.

"Louise is zwanger," vertelde Michelle.

"Dus dat kreeg je ook nog voor je kiezen. Fijn voor hen, moeilijk voor jou. En Carla?"

"Die is bijna zes maanden, dus de abortus is van de baan."

"Arme baby," zei hij, zoals Carla zelf ook al had gezegd. "Ik zie haar nog niet als moeder. Ze kan dat kind beter aan ons geven."

Er viel ineens een gespannen stilte tussen hen.

"Dat zei zij ook al," zei Michelle langzaam. "Maar dat is onzin. Toch? Dat gaat niet zomaar."

"Je kunt natuurlijk nooit vragen of een vrouw haar kind aan je wilt geven," zei Ruben, zorgvuldig zijn woorden kiezend. "Maar als ze uit zichzelf besluit om de baby af te staan… Waarom zouden wij dan niet in aanmerking komen als adoptieouders?" Toen schudde hij zijn hoofd. "Laat maar. Ik vergat even dat jij niet wilt adopteren."

"Geen vreemd, buitenlands kind wat al wat ouder is als het hierheen komt. Dit is anders. Ik ken Carla, dat is punt één. En stel dat ze de baby inderdaad afstaat, dan is het vanaf dag één bij ons," waagde Michelle te zeggen.

Hun ogen vonden elkaar in een lange blik.

"Dit gesprek is eigenlijk te onzinnig voor woorden," merkte Ruben op.

"Het zou wel een heleboel oplossen, zowel voor haar als voor ons," zei Michelle aarzelend. Ze kon zelf amper geloven dat ze dit zei. Het was té onwerkelijk. Maar toch... Er gloorde voor het eerst sinds lange tijd weer een beetje hoop in haar hart. Wie weet wat de toekomst nog zou brengen. Misschien overkwam dit Carla niet voor niets.

HOOFDSTUK 13

Hoewel het geen seconde uit hun gedachten was, durfden Ruben en Michelle zelf niet over dit onderwerp te beginnen. Het was Carla, die het een paar dagen later ter sprake bracht. Zoals gewoonlijk stond ze 's avonds onaangekondigd op de stoep. Michelle was aan het werk, maar daar stopte ze meteen mee toen ze beneden de stem van haar buurvrouw hoorde.

"Ik heb er een paar dagen over nagedacht," begon ze nadat Ruben iets te drinken in had geschonken. "Maar ik wil absoluut geen kind. Jullie kennen me, jullie weten dat ik niet bepaald een moederfiguur ben. Het beste wat ik voor dit kind kan doen, is het afstaan aan mensen die er wel van kunnen houden en er wel voor kunnen zorgen."

Ruben en Michelle keken elkaar aan. Dit was waar ze stiekem op gehoopt hadden, toch durfden ze niet meteen enthousiast te reageren. Dit was zo'n gevoelig onderwerp.

"Je weet dit heel zeker?" vroeg Ruben voorzichtig.

"Honderd procent. Tweehonderd procent zelfs," antwoordde Carla resoluut. "Kom op zeg, ik ben toch geen moeder? Het kind zou geen leven hebben bij me." Er klonk geen enkele aarzeling in haar stem door.

Michelle kon dat eigenlijk alleen maar beamen. Carla was de laatste persoon die ze met een baby voor zich zag.

"In dat geval...," zei ze aarzelend. Ze stokte. Het klonk zo vreemd om hardop uit te spreken dat zij Carla's baby wel wilden hebben. Alsof het om een stuk speelgoed ging.

"In dat geval willen wij ons graag beschikbaar stellen als adoptieouders," zei Ruben echter resoluut. "Als jij dat goed vindt, uiteraard."

Carla veerde overeind. "Daar hoopte ik al op. Ik kan me geen betere ouders voorstellen dan jullie en zo komt er toch nog iets goeds uit voort."

"Ho, ho," temperde hij haar enthousiasme. "We zullen eerst moeten bekijken of dat zomaar kan. Er zullen ongetwijfeld de nodige juridische aspecten aan vast zitten. Heb je daar al naar geïnformeerd?"

"Nee. Ik mag toch zeker zelf wel weten of ik mijn kind af wil staan of niet?" zei Carla strijdlustig.

"Zo simpel zal het niet zijn. Zal ik eens op internet kijken of daar iets over te vinden is?" Ruben startte zijn computer al op voordat hij de vraag helemaal gesteld had. Na enig zoeken op het web en het doorlezen van talloze pagina's over adoptie kwam hij op een site die informatie gaf over draagmoederschap.

"Draagmoederschap is in Nederland niet bij de wet verboden, dus toegestaan," las hij hardop voor. "Er zijn echter geen regels of wetten voor. Het afstaan van een kind aan de wensouders verloopt via de gebruikelijke adoptieprocedure. In het kort komt het er dus op neer dat jij via de raad kinderbescherming bij de rechter ontheffing van het ouderlijk gezag aanvraagt, zonder dat er sprake is van ongeschiktheid of onmacht, de normale redenen om een ouder uit de ouderlijke macht te zetten," zei hij tot Carla. "Wij als wensouders moeten vervolgens bij de raad kinderbescherming toestemming vragen de baby als pleegkind in huis te nemen. Na een jaar kunnen we dan de officiële voogdij aanvragen en vervolgens adopteren."

"Wat een gedoe, zeg," mopperde Carla ontevreden. "Ik kan toch gewoonweg mijn kind aan jullie geven als ik dat wil?"

"Dat zou in dit geval heel fijn zijn, maar zo werkt het nu eenmaal niet en dat is maar goed ook," merkte Ruben op. "Er zou enorm veel misbruik van gemaakt worden."

"Ik blijf het onzin vinden, maar goed. Ik moet dus naar de kinderbescherming toe? Dat ga ik deze week nog regelen," nam Carla zich voor. "Dat is alles wat ik moet doen?"

"Volgens mij wel," antwoordde Ruben terwijl zijn ogen nogmaals over de tekst voor hem vlogen. "Zoals het hier staat tenminste wel. Als er meerdere stappen zijn zullen ze dat bij die kinderbescherming ongetwijfeld wel weten."

"Nou, ik hoop het niet, dit is al lastig genoeg. Kunnen jullie deze baby straks na de geboorte niet gewoon bij de burgerlijke stand aangeven als jullie kind?" stelde Carla half serieus voor. "Dan zijn we van alle romplomp af en hoeven jullie het ook niet te adopteren."

"Zonder doktersverklaring? Echt niet. Jij denkt er iets te makkelijk over, Carla. Het gaat hier wel om een kind, niet om een lappen pop," wees Ruben haar terecht.

"Die administratieve rompslomp is het ergste niet. Het gaat erom dat wij van het kind zullen houden," mengde Michelle zich nu in het gesprek. "En dat zit wel goed."

"Die regels zijn er overigens voornamelijk ter bescherming van de draagmoeder, dus van jou," zei Ruben.

"Stel dat jij je bedenkt, dan kunnen wij als wensouders geen enkel recht laten gelden."

"Me bedenken? Van mijn leven niet.

Trouwens, als jullie me niet op mijn woord vertrouwen, kunnen we een contract op laten stellen."

De blik die Ruben haar toewierp was een mengeling van irritatie en medelijden.

"Dat is niet rechtsgeldig. Je kunt in zo'n contract zetten wat je wilt, maar jij als biologische moeder hebt altijd het recht alles terug te draaien. Daar verandert geen enkel contract iets aan. Aan de andere kant zijn wij als wensouders niet verplicht het kindje straks te nemen, contract of niet."

"Jullie laten me toch niet met hem zitten, hè?" reageerde Carla meteen geschrokken.

"Natuurlijk niet," zei Michelle. "Doe niet zo raar."

"Maar stel dat hij iets mankeert. Een hartafwijking bijvoorbeeld. Of een hazenlip." Er klonk paniek door in haar stem. "Dan willen jullie hem vast niet."

"Als we hier voor gaan, wordt het ons kind. Daar kan geen enkele handicap, klein of groot, iets aan veranderen," zei Ruben met nadruk. "Als Michelle zelf zwanger was geweest, hadden we daar tenslotte ook geen invloed op uit kunnen oefenen."

"Een gezond kind lijkt me al een verschrikking, laat staan als hij een afwijking heeft." Carla rilde.

Ruben gaf daar geen commentaar meer op. Hij vroeg zich echter wel af of Carla inderdaad zo naïef en oppervlakkig was, of dat ze dit soort dingen zei om zichzelf ervan te overtuigen dat haar kind afstaan inderdaad het beste was wat ze kon doen. Ondanks het lichte spoortje angst in zijn hart bij deze gedachte, neigde hij naar het eerste. Als hij eerlijk was moest hij toegeven dat hij Carla niet zo hoog had zitten. Hij ergerde zich vaak aan haar en daar was deze avond geen uitzondering op.

Nadat Carla en Michelle hadden afgesproken deze week nog samen naar de kinderbescherming te gaan om alle benodigde informatie op te vragen en de eerste stappen te zetten, ging Carla naar huis. Michelle wachtte tot de deur achter haar dicht gevallen was en stortte zich toen bijna in Rubens armen.

"We krijgen een kind!" juichte ze. "Dit heb ik de hele avond al willen roepen, maar ik vond het niet zo kies om dat te doen waar Carla bij was."

"Ik denk niet dat zij er een probleem van gemaakt zou hebben. Mijn hemel, wat is die toch dom en egoïstisch," zei Ruben vanuit de grond van zijn hart. Daarna begon hij te grinniken. "Dat is iets wat ik de hele avond al heb willen zeggen."

"Als je haar maar niet tegen je in het harnas jaagt," waarschuwde Michelle hem half lachend, half serieus. "Ze wordt de moeder van ons kind."

"O nee." Ruben trok haar wat steviger tegen zich aan. "Jij wordt de moeder. Carla is niets meer dan een soort couveuse waar onze zoon in groeit."

"Onze zoon," herhaalde Michelle dromerig.

Ze gingen op de bank zitten, nog steeds met hun armen om elkaar heen geslagen.

"Onze zoon," zei ze nogmaals. "Wat klinkt dat onwerkelijk, hè? En het is over drie maanden al. We moeten een uitzet kopen, Ruben, en een kamertje in orde maken."

"Dat is de praktische kant, dat komt allemaal wel goed," zei Ruben geruststellend. "Wat ik veel belangrijker vind, is een naam. Wat denk je van Marco?"

"Klinkt wel stoer," was Michelle het met hem eens. "Maar ik dacht aan Rudy."

"Hè nee. Michel."

"Naar mij? Dat zeker niet, dat vind ik altijd zo'n onzin. Trouwens, dat schept alleen maar verwarring. Marcel."

"Vincent."

"Ja, die is mooi," vond Michelle enthousiast. "Vincent." Ze zei de naam langzaam, alsof ze hem op het puntje van haar tong proefde.

"We gaan morgen een namenboekje kopen," nam Ruben zich voor. "Dan kunnen we ieder voor zich een lijst opstellen met de mooiste namen. Als daar dubbele bij zitten, wordt het één van die namen."

"Goed, maar voorlopig houden we Vincent als eerste optie. Vincent Grosman. Dat klinkt als een acteur."

"Een arts," ging Ruben daar tegenin. "Cardioloog of zo. Een cardioloog met de naam Vincent Grosman klinkt heel vertrouwen wekkend. Dat is iemand die je de operatie toe vertrouwt."

Michelle schoot hardop in de lach. "Misschien wordt onze zoon wel verkoper in een groentewinkel, of conducteur op de tram."

"Dat mag ook, als hij maar gaat doen wat hij leuk vindt en er gelukkig van wordt."

"Balletdanser," zei Michelle met glinsterende ogen.

"Laten we niet overdrijven. Eerst maar een goede schoolopleiding. Dat wordt sparen voor de universiteit, schat."

"Zijn we nu niet een heel klein beetje voorbarig? Hij moet eerst nog geboren worden."

"Maar het is zo leuk om zulke plannen voor de toekomst te maken. Het is lang geleden dat ik me zo gelukkig heb gevoeld. Ik kan bijna niet wachten tot we hem in onze armen kunnen nemen. Vreemd, dat je van tevoren al zoveel om een kind kunt geven wat je helemaal niet kent. We weten zelfs niets over zijn achtergrond en wie zijn vader is, toch maakt dat helemaal niet uit. Voor mijn gevoel hoort hij al helemaal bij ons."

"Ik zit me nu af te vragen wat het verschil is tussen dit of de adoptie zoals jij eerst had voorgesteld," bekende Michelle. "In principe is het allebei hetzelfde, toch voelt het heel anders voor me. Ik heb nu niet het gevoel dat we een kind kopen, maar juist een kind helpen, wat op zich natuurlijk nergens op slaat. Kinderen uit het buitenland adopteren is ook helpen, dat weet ik wel. Het scheelt voor mij dat ik Carla ken. Is dat vreemd?"

"Nee, als jij dat zo voelt, is het zo. Het voordeel, als ik het zo mag noemen, is dat de baby van Carla voor ons eigen kind door kan gaan. Je ziet niet in één oogopslag dat hij geadopteerd is."

"Nou ja, dat weten we niet," grinnikte Michelle. "Ze zegt dat het van die Jacob is, dus een Nederlander, maar het zou me helemaal niet verbazen als er straks toch een klein, bruin mannetje uitkomt. Bij Carla weet je het nooit zeker."

"Ook dan houden we ervan," zei Ruben simpel.

Michelle strekte haar hand uit naar haar telefoon, wat Ruben de vraag ontlokte wat ze ging doen. Hij zag Michelle ertoe in staat om Carla te bellen om dit te checken.

"Louise bellen," antwoordde Michelle. "Ze moet weten wat er staat te gebeuren."

"Het is bijna kwart over elf."

"Als ze hoort wat er aan de hand is, zal ze dat zeker niet erg vinden. Hoi, met mij," sprak ze vervolgens in haar telefoon. "Zit je?"

"Ik lig," bromde Louise. "Het is midden in de nacht, mens."

"Je wordt oud en mopperig. Het is amper avond."

"Niet voor zwangere vrouwen."

"Ik lig anders ook nog niet in bed," zei Michelle met een onderdrukte lach en een knipoog naar Ruben.

"Wat bedoel je daarmee?" vroeg Louise behoedzaam. Ze kon niet geloven wat Michelle impliceerde, omdat ze wist dat dit onmogelijk was. Een andere uitleg kon ze echter ook niet bedenken.

"Houd je goed vast. Ruben en ik krijgen een baby!" gilde Michelle nu. "Een zoon!"

"Wat?" Ineens was Louise klaarwakker. Michelle zag voor zich hoe ze recht overeind schoot in haar bed. "Dat klinkt fantastisch. Meer informatie graag."

"Carla staat haar baby aan ons af," vertelde ze nu iets rustiger. "We hebben net alle informatie opgezocht en er uitgebreid over gepraat. Ze wil geen baby, daar is ze heel duidelijk in."

Louise moest dit even verwerken. Het klonk zo simpel, tegelijkertijd ging er een wereld van leed achter dit korte verhaal schuil. De baby was meer dan welkom bij Ruben en Michelle, maar hoe je het ook wendde of keerde, hij was ongewenst door zijn eigen moeder. Een keihard gegeven waar ze niet omheen konden.

"Wat fijn voor jullie," zei ze desondanks warm. "Die baby kan het niet beter treffen, daar ben ik van overtuigd. Goh Mich, dan zijn we dus eigenlijk allebei zwanger nu."

"Tijd om te shoppen!" riep Michelle uitgelaten. "Positiekleding heb ik niet nodig, maar voor de rest moet ik alles aanschaffen. Jij als ervaren moeder mag me daarbij helpen."

"Oké, ik offer me wel op door met je de stad in te gaan," beloofde Louise grinnikend. "Wanneer?"

"Morgen natuurlijk. Ik kan niet wachten."

"Ik moet om half tien bij de verloskundige zijn. Als jij met me meegaat, gaan we aansluitend het centrum in," stelde Louise voor.

"Doen we. Welterusten."

"Ik denk dat jij weinig slaapt," zei Louise nog voordat ze verbinding verbrak.

Dave was door het hele gesprek heen geslapen, zag ze met een blik naast zich. Als die eenmaal sliep, was er geen kanon wat hem wakker kon maken. Dat lukte Tessa alleen, als ze huilde. Dan schoot hij overeind alsof het huis in brand stond.

Ze draaide zich op haar rug en staarde peinzend naar het plafond. Carla stond haar baby af aan Michelle en Ruben… Wat bizar, als je er goed over nadacht. Alsof het een ongewenst postpakketje was wat je afdankte. Maar waarschijnlijk dacht Carla daar inderdaad zo over. Net als Ruben had Louise niet veel op met Carla. Het feit dat ze voornemens was geweest om onmiddellijk naar de abortuskliniek te rennen, zei wat dat betrof genoeg. Het kwam niet eens in haar op om naar andere mogelijkheden te zoeken. Ze zat met iets opgescheept wat ze niet wilde hebben, dus moest ze er zo snel mogelijk vanaf. Maar voor Michelle en Ruben was het een uitkomst, de vervulling van een lang gekoesterde wens, al kon Louise niet nalaten zich af te vragen hoe dat in de toekomst moest gaan met Carla naast hen in het buurhuis. Ze was en bleef de biologische moeder, dat kon niemand ontkennen. Als directe buren konden ze elkaar niet ontlopen. Carla werd dus constant geconfronteerd met haar eigen kind en Michelle en Ruben werden op deze manier steeds herinnerd aan het feit dat de baby niet echt van henzelf was. Een moeilijke situatie.

Louise kon de slaap niet meer vatten. Rusteloos woelde ze in haar bed heen en weer, deze situatie van alle kanten bekijkend. Ze gunde Michelle en Ruben het geluk van harte, maar ze vroeg zich serieus af of dat zou gaan lukken op deze manier. Op het oog leek dit de beste oplossing, maar in de praktijk zaten er nogal wat haken en ogen aan vast. Ze betwijfelde of Ruben en Michelle daar bij stil stonden. Michelle had zo gelukkig geklonken. Voor het eerst sinds lange tijd, besefte Louise. Ze besloot dan ook niets van haar twijfels aan haar vriendin te laten merken. Als het eenmaal aan de orde was, was het vroeg genoeg om daar over te praten. En misschien zag ze wel allemaal beren en leeuwen op haar weg die er helemaal niet waren. Misschien lukte het Ruben, Michelle en Carla prima om met deze vreemde situatie om te gaan en kwamen er helemaal geen problemen van.

Weer draaide ze op haar rug, haar handen vouwde ze om haar buik, waar ook nieuw leven in zat. Zou zij het kunnen, haar eigen kind afstaan aan haar vriendin? Nee, was de eerste gedachte die in haar opkwam. Nooit. Dit was háár kind, daar bleef iedereen vanaf. Zelfs Michelle, de eerste persoon op aarde die ze een kind gunde. Maar stel dat zij, Louise, draagmoeder zou worden voor Michelle en Ruben, dan zou het dus niet haar eigen kind zijn, maar hun kind en dat maakte de situatie heel anders. Dan zou ze vanaf het eerste moment weten dat ze de baby niet zelf mocht en kon houden. Maar of het daar makkelijker door werd?

In het donker schudde Louise haar hoofd. Ze sloeg door, besefte ze. Ze hoefde zich helemaal niet af te vragen of ze het wel of niet zou kunnen, want zoiets was helemaal niet aan de orde. Michelle en Ruben kregen het kind van Carla, klaar uit. Alles opgelost. Een happy end.

Resoluut draaide ze terug op haar zij en demonstratief sloot ze haar ogen. Slapen moest ze, in plaats van piekeren over dit soort onzinnige vraagstukken.

Ze was zich er niet van bewust dat enkele huizen verder een andere zwangere vrouw ook de slaap niet kon vatten. Carla had niet eens de moeite genomen om haar bed in te stappen, want ze was nog klaarwakker. Een klein schemerlampje verlichtte de kamer. Ook zij had haar handen om haar buik gevouwen.

"Je gaat dus bij Michelle en Ruben wonen," sprak ze tegen het kind in haar lichaam. "Zij zullen heel goed voor je zorgen, dat weet ik zeker. Dat is het beste, kleintje. Ik ben geen moederfiguur, je zou je helemaal niet prettig voelen bij mij. Ik wil tot 's avonds laat uitgaan, op mijn vrije dagen uitslapen en weekendjes weg wanneer ik daar zin in heb, zonder dat ik eerst van alles moet regelen voor een baby. Ik ben daar helemaal niet geschikt voor."

Plotseling besefte ze wat ze aan het doen was en met een geïrriteerd gebaar haalde ze haar handen van haar buik af. Wat zat ze nou stompzinnig tegen een vrucht te praten! Ze leek wel niet goed wijs! Ze stond op om iets te drinken in te schenken. Haar handen aarzelden boven een fles wijn, toen besloot ze toch vruchtensap te nemen, iets wat ze met een ironisch lachje om haar lippen inschonk. Werd ze zowaar nog verstandig ook, het moest niet gekker worden. Ze zuchtte diep. De komende maanden lagen als een zwarte vlek voor haar. Ze was gedwongen deze zwangerschap uit te dragen, of ze dat nu wilde of niet. Het liefst zou ze diep onder haar dekens willen kruipen om pas weer tevoorschijn te komen als alles achter de rug was. Die bevalling kon haar sowieso gestolen worden, daar zag ze het meeste tegenop. Toch maar eens informeren of ze niet gewoon een keizersnee kon krijgen, nam ze zich voor. Ze had wel eens gelezen dat veel verloskundigen en gynaecologen daar op tegen waren als er geen medische noodzaak aanwezig was, omdat een natuurlijke bevalling de band tussen moeder en kind bevorderde. Nou ja, dat was in haar geval niet nodig.

Ineens ging ze met een schok omhoog zitten. Wat was dat? Weer voelde ze iets vreemds in haar buik, alsof er iets in bewoog. Was dat…? Heel voorzichtig legde ze haar hand erop. Van binnen uit werd haar hand iets omhoog geduwd, iets wat een nieuwe schok bij haar teweeg bracht. Hij bewoog! Hij schopte! Ze werd er helemaal warm van. Haar kind schopte. O nee, het kind van Michelle en Ruben schopte, herinnerde ze zich toen. Vreemd genoeg beviel die gedachte haar helemaal niet.

HOOFDSTUK 14

In de weken die volgden leefde Michelle zich helemaal uit in het bij elkaar zoeken van de uitzet. Ze begon 's morgens vroeg met werken, zodat ze aan het eind van de dag een paar uur over had om zich op praktisch gebied zo goed mogelijk voor te bereiden op het moederschap. Ze kocht luiers, een luieremmer, een badje, spuugdoekjes en kleertjes alsof ze nooit anders gedaan had. Het kamertje naast hun slaapkamer, wat tot nu toe gebruikt was als opslagplaats voor alle spullen waar ze niets mee deden, maar die ze ook niet weg wilden gooien, ruimde ze uit, waarna ze het met enkele blikken verf en vrolijk gekleurde gordijnstof omtoverde tot een waar babyparadijs. Daarnaast las ze veel tijdschriften voor jonge ouders en struinde ze het internet af op zoek naar verhalen over draagmoederschap. De ervaringsverhalen van wensouders die alsnog zonder baby achter bleven omdat de draagmoeder zich bedacht had, maakten haar echter zo triest dat ze daar snel mee stopte. Haar eigen twijfels op dat gebied duwde ze zo ver mogelijk weg. Ze wilde niet eens denken aan de mogelijkheid dat Carla alsnog haar eigen kind wilde houden. Dat was niets voor Carla, stelde ze zichzelf gerust. Wat moest zo'n feestbeest nou met een kind? Hij zou haar alleen maar belemmeren.

Ze leefde die periode als in een roes. Een ander had negen maanden om zich voor te bereiden op de komst van een kind, zij maar drie. In die drie maanden moest het kamertje klaar zijn en de uitzet compleet, dus ging ze regelmatig met Louise de stad in.

"Ben je er zelf ook klaar voor?" vroeg die op de dag dat Michelle haar trots het eindresultaat showde. Het kleine en vroeger zo rommelige kamertje was niet meer te herkennen nu het compleet was ingericht om een baby te ontvangen.

"Natuurlijk," antwoordde Michelle enigszins verbaasd. "Wat een rare vraag. Je weet dat ik al heel lang een kind wil."

"Tussen naar iets verlangen en het ook daadwerkelijk krijgen zit een groot verschil. In praktisch opzicht heb je alles voor elkaar, maar geestelijk?"

"Ik begrijp niet goed wat je bedoelt," reageerde Michelle licht geïrriteerd.

"Volgens mij wel." Louise bleef kalm, als altijd. "Je stoomt maar door, zonder een moment rust te nemen en stil te staan bij alles wat er gaat veranderen. Je wordt moeder, Michelle. Een zwangerschap is een periode van bezinning, van voorbereiding. Bij jou wordt het kind straks plompverloren in je armen gelegd. Sta daar wat vaker bij stil. Heb je al echt het gevoel dat het jouw baby is?"

"Niet helemaal," moest Michelle toegeven. Tegenover Louise durfde ze dat wel, ze waren altijd eerlijk tegen elkaar. "Met mijn verstand weet ik dat er straks een baby in dit ledikantje ligt en daar verlang ik ook echt naar, maar het is nu nog zo onwerkelijk."

"Betrekt Carla je wel bij haar zwangerschap?" wilde Louise weten. "Dat lijkt mij namelijk een onmisbaar onderdeel in de voorbereiding."

"Niet echt." Michelle haalde haar schouders op. "Ze wil er niet eens aan denken dat ze zwanger is, zegt ze altijd. Ik durf bijvoorbeeld mijn hand niet op haar buik te leggen om de baby te voelen schoppen."

Louise ging daar niet op door, maar ze dacht er het hare van. Ze kon echter weinig doen, alleen maar hopen dat dit verhaal een goede afloop zou kennen. Ze leefde intens met Michelle en Ruben mee, zeker omdat ze zelf zwanger was. Vroeger had ze er vaak over gefantaseerd om tegelijk met Michelle zwanger te zijn. Die fantasie kwam nu op zo'n rare manier uit dat ze er niets aan kon doen dat ze haar twijfels had.

Drie dagen daarna vierde Ruben zijn verjaardag. Behalve enkele familieleden waren Louise, Dave en Carla daar ook bij aanwezig. Louise merkte op dat Carla vaak dromerig voor zich uit zat te staren en af en toe zelfs met haar handen over haar buik wreef. Zoals iedere vrouw die naar haar baby verlangde, dacht ze ongerust bij zichzelf. Ze kreeg er een eng gevoel van in haar maagstreek.

"Hoe gaat het met je?" vroeg ze terwijl ze naast haar ging zitten. Carla schrok op. "Gaat wel," antwoordde ze behoedzaam.

"Ben je het nog niet zat?" vroeg Louise verder met een hoofdknik naar Carla's inmiddels aanzienlijke buik.

"Behoorlijk, ja. Ik zal blij zijn als alles achter de rug is."

"En je het kind kwijt bent, bedoel je?" zei Louise hard.

"Natuurlijk." Carla ontweek echter haar blik en liet haar ogen door de kamer dwalen. "Je weet dat een kind niets voor mij is."

"Verstand en gevoel werken niet altijd even goed samen."

"Zeg, hou eens op." Met een geïrriteerd gebaar zette Carla haar glas op tafel. "Is dit een kruisverhoor om te testen of ik de baby echt afsta of zo? Nou, maak je vooral geen zorgen."

"Dat doe ik wel," bekende Louise. "Het is zo'n bizarre situatie. Ik zie trouwens hoe je steeds over je buik streelt."

"Omdat ik maagzuur heb," zei Carla kortaf.

"Is dat werkelijk de enige reden? Sorry hoor, maar ik kan me niet voorstellen dat je echt zo onverschillig staat tegenover je eigen kind. Het moet toch moeilijk zijn voor je."

Carla slikte hoorbaar. Tot haar grote schrik zag Louise dat er tranen in haar ogen verschenen.

"Ik wil je niet van streek maken," zei ze haastig.

"Had dan je mond gehouden," snibde Carla. "Het is inderdaad moeilijk, ja. Ben je nou tevreden? Ik ben niet zo oppervlakkig als iedereen blijkbaar denkt en ik geef dit kind echt niet lichtzinnig weg. Het is gewoon het beste."

"Voor jou of voor de baby?"

"Voor ons allebei. Ik heb er echt wel eens bij stilgestaan hoe het zou zijn om hem te houden, maar dat is nou eenmaal niets voor mij. Poepluiers, nachtelijk gehuil, iedere drie uur een flesje, ik moet er niet aan denken."

Louise zweeg, maar haar ongerustheid liet zich niet meer verjagen. Carla's woorden hadden haar zeker niet overtuigd, integendeel zelfs. Ze hadden meer geklonken of Carla zichzelf moest overtuigen. Volgens haar was Carla er helemaal niet zo zeker van dat ze haar kindje beter af kon staan. Haar verstand vertelde haar dat misschien, maar haar hart niet. Wat moest ze daar nou mee? Carla overreden naar haar hart te luisteren en haar kind te houden? Dat kon ze Michelle en Ruben niet aandoen. Maar wat dan? Net zolang op Carla inpraten tot ze zelf ook inzag dat afstaan het beste was? Dat leek op papier wellicht de beste oplossing, maar iets wat theoretisch juist was, klopte niet altijd in de praktijk. Zelf zwanger kon ze het niet eens aan om een andere moeder in spé te vertellen dat ze beter geen moeder kon worden. Wie was zij trouwens om daar een oordeel over te vellen?

Ze kon helemaal niets doen, besefte Louise. Behalve er dan voor Michelle zijn als haar angstige voorgevoelens waarheid bleken te zijn. Ze hoopte met alles wat in haar was dat dit niet het geval zou zijn, dat ze gewoon spoken zag. Wellicht sloegen haar hormonen gewoon op hol en lieten die haar dingen zien die er helemaal niet waren. Even later merkte Louise echter dat Carla volkomen dicht klapte toen Michelle trots de babykamer showde aan haar familieleden. Er trok een ondoorgrondelijk masker over haar gezicht heen en haar ogen richtten zich naar binnen.

Bij het afscheid nemen, later die avond, omhelsde Louise Michelle hartelijker dan gewoonlijk.

"Bel me als er iets is," zei ze dringend. "Maakt niet uit wanneer."

"Wat zou er moeten zijn?" vroeg Michelle zich verbaasd af.

"Nou ja, de baby kan ieder moment geboren worden. Bellen, hoor. Ik meen het. Al is het midden in de nacht."

"Jij bent de eerste die het hoort," beloofde Michelle haar.

"Ben jij bij de bevalling?" wilde Louise weten.

"Daar hebben we het eigenlijk nog niet over gehad. Carla wil niet over de bevalling praten. Ze schuift het allemaal het liefst voor zich uit. Volgens mij hoopt ze dat ze op een ochtend wakker wordt met het kind naast haar," grinnikte Michelle.

"In dat geval heb ik slecht nieuws voor haar," meldde Louise met een grimas. Ze wist niet goed wat ze moest denken of moest hopen. Op zich zou het helemaal geweldig zijn als Carla zich bedacht en alsnog een liefhebbende moeder werd, als Michelle daar tenminste niet de dupe van zou worden. Die verheugde zich zo op het moederschap. Het zou, opnieuw, een zeer zware klap voor haar zijn als het niet doorging.

Carla was eind oktober uitgerekend en die datum naderde met rasse schreden. Ze sloot zich de laatste tijd min of meer op in huis en kwam nog maar amper de deur uit. Michelle had haar al een week niet gezien, hun enige contact beperkte zich tot korte telefoongesprekken. Ze had al een paar keer aangeboden boodschappen voor Carla te halen of haar te helpen in huis, maar Carla wees alles resoluut van de hand.

"Ze is wel veranderd," zei ze op een avond tegen Ruben.

"Ze is hoogzwanger, zo vreemd is dat niet," was zijn reactie. "Ik heb vaker gehoord dat vrouwen dan veranderen en meer in zichzelf keren."

"Stappen is inderdaad niet meer zo handig," zei Michelle met een klein lachje, maar een zwaar hart. Rubens woorden hadden haar geraakt. Zij had ook iets dergelijks gelezen in een tijdschrift, maar dat artikel ging over de geestelijke en lichamelijke voorbereiding op het moederschap. Bij Carla viel er niets voor te bereiden. Ze moest wel bevallen, maar werd geen moeder, dat had ze zelf gezegd. Maar daar trokken haar hormonen zich natuurlijk niets van aan, hield Michelle zichzelf voor. Die werkten bij iedere vrouw hetzelfde en die hielden er geen rekening mee dat het kindje niet zou blijven. Ze moest niet zo mal doen. De angstige voorgevoelens die af en toe de kop opstaken hadden niets te maken met Carla, maar met het feit dat het morgen een jaar geleden was dat ze was verkracht. Een datum die haar rillingen bezorgde. Precies een jaar geleden was er nog niets aan de hand geweest. Toen was ze een heel gelukkige vrouw geweest, blij met haar leven, met liefde voor haar werk en die maandelijks in spanning afwachtte of ze wel of niet in verwachting was. Echt onbezorgd gelukkig was ze sinds die dag niet meer geweest en zou ze waarschijnlijk ook nooit meer worden. Nog steeds was ze angstig als ze alleen op straat liep en als ze 's avonds ergens heen ging pakte ze altijd de auto, ook als het maar om een klein stukje ging. Soms had ze een nachtmerrie waarin die man een hoofdrol speelde en dan werd ze nat van het zweet wakker. Af en toe meende ze op straat hem te herkennen en dan kostte het haar de grootste moeite om zich te realiseren dat dit niet mogelijk was. Hij was dood, hij kon haar niets meer doen, vertelde ze zichzelf dan. Haar hartslag steeg op dergelijke momenten echter tot ongekende hoogtes. De abortus, de daarop volgende infectie en het verwijderen van haar baarmoeder hadden er ook diep ingehakt bij haar. Het besef dat ze nog maar een halve vrouw was, sloeg af en toe behoorlijk hard toe. De spanning of ze wel of niet in verwachting was, was weggevallen. Dat was iets waar ze nooit meer op hoefde te hopen. Bij sommige vrouwen die onvruchtbaar leken gebeurde er nog wel eens een wonder, bij haar was dat uitgesloten.

Maar ze werd wel moeder, zei ze in gedachten streng tegen zichzelf. Dus ze moest niet zeuren. De baby kon ieder moment komen. Binnen nu en hooguit twee weken zou ze haar zoon in haar armen houden en dat moment zou alles goedmaken wat er was gebeurd.

Ze schrok op door het gerinkel van de telefoon. Carla, zag ze. Met klamme handen nam ze op.

"Het is begonnen," zei Carla. Ze klonk volkomen emotieloos. "Ik ga nu naar het ziekenhuis."

"Ik ga met je mee," zei Michelle terwijl ze al half overeind kwam.

"Nee, nee," weerde Carla dat echter af. "Dit is iets wat ik alleen moet doen. Ik laat jullie onmiddellijk bellen zodra het kind geboren is."

"Weet je het heel zeker? Een bevalling is geen sinecure, je hebt iemand nodig om je te steunen."

"Ik heb niemand nodig," zei Carla kortaf. "Ik heb mijn hele leven alles alleen gedaan, dus dat kan ik nu ook. De taxi is er, ik moet ophangen."

"Sterkte," kon Michelle nog net roepen voor Carla de verbinding verbrak. Ze staarde nog lang naar haar telefoon, waar de bezettoon uit weerklonk.

"Michelle." Ze voelde Rubens hand op haar schouders.

"De bevalling is begonnen, maar ik mag er niet bij zijn," zei Michelle toonloos.

Hij pakte de telefoon uit haar handen en legde hem neer.

"Dat is haar keus, daar moet je je bij neerleggen. Een bevalling is iets heel persoonlijks," merkte hij verstandig op.

"Dat zou je toch niet zeggen als je hoort hoe ze er altijd over praat." Met een woest gebaar wreef Michelle langs haar ogen. Ze wilde niet huilen. Haar liefste wens stond op het punt om uit te komen, ze moest blij zijn. "Verwacht ze nu van ons dat wij gewoon naar bed gaan of zo? Alsof ik kan slapen."

"Als jij je daar beter bij voelt, gaan we nu naar het ziekenhuis," besloot Ruben. "Ook al mogen we niet bij haar, dan zijn we tenminste in de buurt. Stel dat ze zich bedenkt en ons, of jou, er toch bij wil hebben, dan hoeven we alleen maar de verloskamer in te lopen."

"Goed plan. Laten we dan maar meteen gaan." Met één lange pas stond ze in de gang, waar ze haar jas aantrok.

De rit naar het ziekenhuis verliep zwijgend. Ze waren allebei in hun eigen gedachten verzonken. Het was een vreemde situatie, bedacht Michelle. In haar stoutste dromen had ze nooit kunnen bedenken dat het zo zou gaan. Ze voelde zich een beetje aan de kant geschoven door Carla. Het was net of zij en Ruben er niet toe deden, terwijl het uiteindelijk wel hun kind was wat op het punt stond geboren te worden. Op dit moment leken ze echter wel een stel vreemden. Mensen die er niets mee te maken hadden.

De receptionist van het hotel vertelde hen dat Carla in verlos-kamer vier lag, dus namen ze plaats op de stoelen die daar het dichtst bij stonden. Een langslopende verpleegster vroeg vrien-delijk of ze hen kon helpen en na hun uitleg dat ze op de baby wachtten wees ze hen een koffieautomaat. Even later liep er een iets oudere vrouw de verloskamer in, die tien minuten later weer tevoorschijn kwam.

"Hoe is het met haar?" waagde Michelle te vragen.

De vrouw keek op. "U bent familie?" wilde ze weten.

"Wij zijn eh… worden de ouders van de baby," stamelde Michel-le. "Carla staat het kindje aan ons af."

"O?" De wenkbrauwen van de vrouw vlogen omhoog. "Ik ben haar verloskundige, Mieke. Mevrouw Verdoorn heeft zes cen-timeter ontsluiting, dus het duurt nog wel even." Met een kort knikje liep ze door.

Michelle staarde haar na terwijl ze door de lange, schemerig ver-lichte gang liep.

"Ze was verbaasd," zei ze. "Carla heeft dus niets over afstaan gezegd."

"Zeur niet zo," zei Ruben kortaf. "Ze was verbaasd omdat ze

ons hier niet verwachtte. Carla heeft tenslotte duidelijk te kennen gegeven dat ze hier alleen doorheen wilde gaan. Zoek niet overal iets achter, Michelle."

Michelle zweeg en wierp een tersluikse blik op haar horloge. Kwart voor twaalf. Het kon nog wel de hele nacht duren voordat de baby daadwerkelijk geboren werd. Een lange nacht lag nog voor hen. Ineens drong het besef tot haar door dat de baby dus voortaan zijn verjaardag zou vieren op de datum van haar verkrachting. Heel even wist ze niet wat ze daarvan moest denken, toen besloot ze het positief te bekijken. Die datum werd voortaan een feestdag, eentje zonder nare bijgedachten. Natuurlijk had ze veel liever gezien dat alles gewoon was verlopen en ze zelf een kindje gebaard zou hebben. Maar dat was nu eenmaal niet zo. Ze zou echter zoveel van het jongetje wat nu geboren werd houden, dat ze straks waarschijnlijk blij zou zijn met de manier waarop alles gegaan was, omdat ze hem anders niet zou hebben. Ze deelde haar gedachten met Ruben, die zachtjes in haar hand kneep.

"Ik ben zo enorm trots op je," zei hij met een brok in zijn keel. "Zoals jij alles hebt verwerkt en zelfs in staat bent positief te blijven... Petje af. Jij wordt de geweldigste moeder die er bestaat en ons kind mag zijn handjes dicht knijpen met jou. Eigenlijk is het wel een mooie gedachte dat onze zoon precies op deze datum geboren wordt. Vorig jaar veranderde alles ten kwade, nu ten goede. Het heft elkaar een beetje op."

"Ik heb heel erg tegen de dag van morgen opgezien," bekende Michelle. "Slaat nergens op natuurlijk, want het is maar een datum, maar het leek wel een soort symbool. Zoals je op de datum van iemands sterfdag altijd denkt aan de persoon die overleden is."

"Dat is logisch. Jij moet altijd niet alles zo beredeneren en je gevoelens ook eens gewoon ondergaan zoals je ze ervaart."

"Gelukkig ben jij er altijd om de boel te relativeren." Michelle lachte. "Vincent krijgt het beste aan beide kanten, schat. Ik kan niet wachten om jou als vader te zien."

"Houden we het definitief op Vincent?" vroeg Ruben. "Nu kunnen we nog veranderen."

"Ik vind dat nog steeds de mooiste naam, ja. Hoewel ik Marco ook steeds leuker vind klinken."

"Vincent Marco dan? Dan kan hij eventueel zelf zijn roepnaam nog veranderen later, als hij dat wil," stelde Ruben voor.

Tevreden kroop Michelle tegen hem aan. Zij en Ruben waren een ijzersterk team, dat was het afgelopen jaar wel gebleken. Met een lichte zucht sloot ze haar ogen terwijl ze met haar hoofd tegen zijn schouder leunde. Op haar netvlies verscheen het beeld van Ruben en haar plus een prachtige baby. Een baby die vrolijk lachte en kraaide. O, als dat eens bewaarheid werd!

Weer zuchtte ze. Ze hadden nog een lange nacht te gaan.

HOOFDSTUK 15

Het was een zware nacht voor Carla. De weeën teisterden haar lichaam, toch schoot de ontsluitingsfase niet echt op. De verloskundige bleef er op een gegeven moment voortdurend bij, er lag een frons tussen haar wenkbrauwen. Er waren geen complicaties, de hartslag van de baby was uitstekend en de weeën sterk genoeg om de baarmoedermond te openen, ze begreep niet waarom het niet vlotter ging. Op deze manier zou de bevalling eindigen in een kunstverlossing, vreesde ze. Het leek wel of de kraamvrouw de bevalling onbewust tegenhield. Zoiets maakte ze vaker mee, meestal was het pure angst die de barende vrouw belette om de controle los te laten en er vol voor te gaan.

Carla vocht inderdaad met haar lichaam en met haar geest, maar anders dan haar verloskundige dacht. Pure paniek maakte zich van haar meester. Ze besefte ineens volledig dat dit de laatste uren met haar baby waren. Onbewust was ze gehecht geraakt aan de bewegingen in haar buik. Ze praatte tegen de baby, streelde hem door haar buikwand heen en voelde steeds meer binding met hem, hoewel ze zich er voortdurend van bewust was gebleven dat ze hem niet kon houden. Zij kon geen moeder zijn. Ze was er dan ook nog steeds van overtuigd dat ze hem aan Michelle en Ruben af zou staan, maar nu de folterende pijn door haar lichaam schoot boezemde die gedachte haar angst in. Straks bleef ze met lege handen over en door die wetenschap hield ze haar lichaam onbewust tegen de baby uit te drijven. Eenmaal eruit was ze hem kwijt.

"Ik ga een knip zetten," zei Mieke op een gegeven moment.

"Nee!" Carla schreeuwde het uit. Onwillekeurig drukte ze haar benen tegen elkaar aan.

"De baby krijgt het moeilijk. Als ik nu niet ingrijp is het straks misschien te laat," zei Mieke echter vriendelijk, maar op een besliste toon. "Ik ga je eerst verdoven, je hoeft niet bang te zijn."

"Ik wil het niet," bracht Carla moeizaam uit.

"Je wilt niet dat de baby geboren wordt," begreep Mieke. Dat had ze dus toch goed aangevoeld. Ze wreef met een koel washandje over Carla's verhitte voorhoofd. "Heeft dat iets te maken met het echtpaar wat in de gang zit?" vroeg ze voorzichtig.

"Zijn ze hier?" Carla begon te huilen. "Ze willen hem dus meteen meenemen?"

"Luister, ik weet niet wat er precies afgesproken is en wat jou ertoe gedreven heeft te besluiten je baby af te staan, maar vergeet niet dat in dit geval geen enkele afspraak bindend is. Als jij je kindje zelf wilt houden, kan niemand daar iets aan veranderen," sprak Mieke. Haar hart ging uit naar de mensen op de gang, die er zo kwetsbaar en gespannen uit hadden gezien, toch kon ze niet anders dan deze barende vrouw duidelijk maken dat ze niets tegen haar zin in hoefde te doen. "Je bent niet verplicht hem mee te geven."

"Het is beter," snikte Carla. "Ik ben niet in staat om voor hem te zorgen. Maar ik dacht dat het makkelijker zou zijn."

"En zolang hij zich nog in jouw lichaam bevindt, is hij van jou." Mieke knikte. "Ik begrijp dat je zo denkt, maar je kindje moet er nu echt snel uit, anders gaat het fout. Ben je klaar om te persen?"

Carla knikte met gesloten ogen. Het was onontkoombaar, begreep ze. De laatste minuten met haar baby braken nu onherroepelijk aan. Zichzelf dwingend nergens aan te denken, volgde ze de bevelen van Mieke op. Twintig minuten later voelde ze iets warms uit haar lichaam glijden, maar ze durfde niet te kijken.

"Je zoon is er," hoorde ze Mieke zeggen. "Wil je hem nog even vasthouden?"

Carla's verstand vertelde haar dat ze dat beter niet kon doen, haar armen strekten zich echter al uit. Met een innig gebaar drukte ze de baby tegen haar borst.

"Mijn zoon," zei ze zacht. Ze nam ieder detail van het gezichtje in zich op. De ronde wangen, het iets geopende mondje, de donkere wimpers. De baby had een dot donkere krullen boven op zijn hoofdje, aan de zijkanten was hij echter kaal. "Kijk, hij heeft een hanenkam," wees ze lachend. "Jeetje, wat is hij knap. Kijk die oogjes nou." Ze verloor zich totaal in de aanblik van de baby en merkte amper dat de nageboorte geboren werd en Mieke haar werk afmaakte. Eenmaal klaar met de afwikkeling van de bevalling ging Mieke op de rand van de verlostafel zitten.

"En?" vroeg ze ernstig. "Denk je er nu nog hetzelfde over?"

Met betraande ogen keek Carla naar haar op. "Hoe kan ik hem weggeven? Hoe kan ik zelfs ooit maar gedacht hebben dat ik daar toe in staat zou zijn? Het is mijn kind."

"Dat dacht ik al."

"Hoe is het mogelijk dat ik ineens zoveel van hem houd?" vroeg Carla zich hardop af.

"Dat is de kracht van de natuur," antwoordde Mieke. Ze glimlachte terwijl ze naar het kleine gezichtje keek. Dat was iets waar ze nooit genoeg van kreeg, hoewel ze inmiddels al honderden kinderen ter wereld had helpen brengen. "Ik weet niets van je omstandigheden af, maar kan je het aan? Ben je financieel en emotioneel in staat hem op te voeden?"

"Gisteren zou ik daar nog ontkennend op geantwoord hebben, maar nu… Ik weet nog niet hoe ik het ga doen, maar ik weet wel dat het me gaat lukken," zei Carla strijdlustig.

Mieke keek naar haar zoals ze daar met haar baby in haar armen zat. De blik in Carla's ogen stelde haar gerust. Deze vrouw zou het wel redden, ongeacht de omstandigheden die ertoe hadden geleid dat ze in eerste instantie zo'n drastisch besluit had genomen. Daar was ze blij om, hoewel ze met medelijden dacht aan de mensen die er nu nog van overtuigd waren dat ze samen met hun baby dit ziekenhuis zouden verlaten. Het zou niet meevallen hen de harde waarheid te vertellen.

"Het echtpaar in de gang…," hielp ze Carla herinneren.

Carla schrok op. "O nee!" kreunde ze. "Arme Michelle. Ik wilde haar geen verdriet doen, ze heeft al zoveel meegemaakt. Maar ik kan het niet, ik kan mijn kind niet weggeven, zelfs niet aan haar."

"Zal ik het ze vertellen?" stelde Mieke voor.

Carla knikte al, toen bedacht ze zich. "Nee, dat moet ik zelf doen, hoe verleidelijk het ook klinkt. Maar ooit zal ik ze toch onder ogen moeten komen, ik kan ze niet ontlopen."

Mieke stond op. "Dan zal ik ze roepen."

Michelle was in een ongemakkelijke houding tegen Ruben aan in slaap gedommeld, maar ze schoot meteen overeind zodra ze de deur van de verloskamer open hoorde gaan.

"Is de baby er?" vroeg ze gespannen.

"Jullie mogen naar binnen," zei Mieke, daarmee een rechtstreeks antwoord ontwijkend. Ze keek hen niet aan, maar draaide zich meteen weer om en liep terug de verloskamer in, iets wat Michelle niet ontging. Met een angstig bonkend hart stond ze langzaam op. De hand van Ruben kneep de hare haast fijn. Ook hij had gemerkt dat de verloskundige zich niet op haar gemak voelde, begreep ze. Hun ogen vonden elkaar in een angstige blik.

"Zou er iets mis zijn met de baby?" vroeg Michelle fluisterend.

"Daar komen we maar op één manier achter," zei Ruben schor. "Kom schat, we gaan naar binnen." Zijn stem klonk zekerder dan hij zich voelde.

Michelle's ogen vlogen onmiddellijk naar de verlostafel en ze bleef als verlamd in de deuropening staan. De situatie was haar in één klap duidelijk. Daar zat geen vrouw die haar kind af wilde staan, daar zat een moeder. De manier waarop ze de baby in haar armen hield en tegen zich aan drukte, was niet mis te verstaan.

"Michelle, Ruben, ik…," begon Carla, zoekend naar woorden.

"Laat maar," onderbrak Michelle haar ruw. "Je hoeft niets te zeggen. We krijgen hem niet, hè?"

"Het spijt me," zei Carla zacht.

"Mij ook." Michelle draaide zich om, ze was verblind door haar tranen. Ze moest hier zo snel mogelijk weg voordat ze met het interieur ging gooien. Ruben snelde achter haar aan, pas bij de uitgang van het ziekenhuis haalde hij haar in. Zijn armen sloten zich vast om haar heen. Zwijgend bleven ze zo een tijd staan, allebei niet wetend wat ze moesten zeggen. Hier waren geen woorden voor. In een jaar tijd had hun wereld al een paar keer volledig op zijn kop gestaan, maar deze klap kwam wel bijzonder hard aan na alle dromen die ze hadden gekoesterd over een eigen gezin. Deze baby had hun leven weer glans moeten geven en het geluk terug moeten brengen. In plaats daarvan stonden ze opnieuw met lege handen.

"Laten we maar naar huis gaan," zei Ruben op een gegeven moment.

Zwijgend liet Michelle zich meevoeren naar de auto. Deze dag had een feestdag moeten worden om de beklemming die aan deze datum vastkleefde weg te halen. Maar dat zou dus niet gebeuren. Deze datum zou de rest van haar leven onlosmakelijk verbonden blijven met nare gebeurtenissen.

Michelle was in één klap weer terug in de realiteit. Het was een mooie droom geweest, maar niet reëel. Ze moest haar leven weer op zien te pakken, zonder het vooruitzicht een baby te krijgen. Ze stortte zich op haar werk, waar Patricia haar nog steeds mee hielp. De afspraak was dat Patricia een paar uur per dag bij Michelle in dienst zou komen, zodat Michelle tijd had voor de baby. Ook al was dat nu weggevallen, ze wilde haar nichtje toch niet kwijt als medewerkster. Door haar hulp had ze de tijd en de gelegenheid om nieuwe producten in haar assortiment op te nemen en haar website te vernieuwen en uit te breiden. Verder deed ze veel aan promotie, om haar webwinkel nog bekender te maken. Ook had ze zich bij de muziekschool in hun wijk opgegeven om saxofoon te leren spelen. Dat was iets totaal anders dan ze ooit had gedaan, dus daar vond ze afleiding in. Ze pakte alles aan om maar niet na te hoeven denken over hoe haar leven er uit had gezien als Carla zich niet bedacht had. Of als Carla haar überhaupt niet had gevraagd de zorg voor de baby op zich te nemen. De leegte in huis was bijna voelbaar voor Michelle. Het kleine, liefdevol ingerichte kamertje, bleef op slot. Ze kon het niet aan om daar naar binnen te gaan en zo geconfronteerd te worden met alles wat ze miste.

"En verder blijf ik maar gewoon ademen," zei ze tegen Louise. Bij haar vriendin kon ze dag en nacht terecht om te praten of te huilen, iets wat ze ook regelmatig deed. Dan kon ze tenminste even haar hart luchten en hoefde ze niet sterk te zijn. Met Ruben deelde ze hetzelfde verdriet, maar Louise stond er wat verder vanaf, dat praatte makkelijker. Ruben moest zelf af en toe opgepept worden. "Ik begrijp nu tenminste waarom ik die laatste weken heen en weer werd geslingerd tussen gevoelens van hoop en vrees. Onbewust heb ik het blijkbaar al aangevoeld."

"Ik was er al bang voor," bekende Louise. Het was een paar weken na de geboorte van kleine Jeffrey, zoals Carla haar zoon had genoemd, maar ze zei dit voor het eerst. "Carla gedroeg zich zo vreemd. Het was aan haar te merken dat ze niet honderd procent achter haar besluit stond, ze had het er moeilijk mee. Op Rubens verjaardag heb ik er nog met haar over gepraat."

"Dat heb je niet tegen me gezegd," verweet Michelle haar.

"Er viel weinig te zeggen, want ze bleef volhouden dat ze geen kind wilde. Ik kon moeilijk met mijn vermoedens voor de dag komen bij jou, daar had ik je echt niet mee geholpen."

"Dan was ik wel voorbereid geweest."

"Is dat iets waar een mens zich op voor kan bereiden?" vroeg Louise zich hardop af.

"Waarschijnlijk niet, nee," gaf Michelle met tegenzin toe.

"Ben je niet verschrikkelijk kwaad op haar?"

"Met mijn verstand neem ik haar niets kwalijk, maar mijn gevoel reageert anders. Als ik zou doen wat mijn hart me ingaf, zou ik Jeffrey wel uit haar armen willen rukken."

"Waarschijnlijk is dat kind dan veel beter af."

"Dat weet ik niet," zei Michelle eerlijk. "Ik heb hem eergisteren even vluchtig gezien omdat Carla net naar buiten kwam toen ik naar binnen wilde gaan en hij ziet er uitstekend uit. Ze zorgt goed voor hem, dat is hem aan te zien. Ze zal ongetwijfeld veel van hem houden, aangezien ze haar hele levensstijl aangepast heeft."

"Voor zolang dat duurt," meende Louise grimmig. "Persoonlijk kan ik haar wel iets aandoen na de klap die ze jou bezorgd heeft. Ik heb er bewondering voor dat je zo sterk blijft en dat je haar zelfs nog verdedigt. Ik wilde dat ik iets voor je kon doen."

Michelle wees naar Louise's buik. "Geef die maar aan mij ter compensatie," stelde ze half lachend voor.

"Niet overdrijven," grinnikte Louise. "Je mag wel verwentante worden."

"Een schrale troost, maar ik zal het er mee moeten doen." Michelle stond op en trok haar jas aan. "Ik ga er vandoor, ik moet boodschappen doen. Bedankt dat ik weer even tegen je aan mocht zeuren."

"Altijd, dat weet je," zei Louise ernstig.

Ze keek Michelle door het raam na. Kon ze haar vriendin maar helpen. Kon zij haar maar een baby geven. Maar dat was natuurlijk een belachelijke gedachte. Iedereen bleef van haar kind af, zelfs Michelle. Onbewust legde ze haar handen beschermend op haar buik. Ze zou het nooit over haar hart kunnen verkrijgen, daarvoor hield ze al veel te veel van het kindje wat in haar lijf groeide. Kon ze het maar wel. Maar een zwangerschap die van tevoren al als doel had haar vriendin en haar man gelukkig te maken, voelde wellicht heel anders. Dan wist ze voor de bevruchting al waar ze aan toe was.

Louise schudde haar hoofd. Dit waren onzinnige gedachten, daar moest ze zich helemaal niet mee bezig houden. Ze kon beter aan het werk gaan in plaats van zo stom te doen. De baby in haar lijf roerde zich en Louise voelde zich warm worden. Op dat moment wist ze heel zeker dat ze het nooit zou kunnen, een kind dragen voor een ander. Zelfs niet voor Michelle, hoe na die haar ook stond.

Michelle was ondertussen razendsnel in haar auto gestapt. Ze had er een gewoonte van gemaakt om buiten niet om zich heen te kijken, maar zo snel mogelijk naar binnen te gaan, om de kans zo klein mogelijk te maken dat ze Carla tegenkwam. Met een schichtige blik om zich heen startte ze de motor, waarna ze snel wegreed. Een eind verder kon ze pas weer rustig ademhalen. Het was weer gelukt. Louise zei dan wel dat ze zo sterk was, maar zo voelde Michelle zich helemaal niet. Ze durfde de confrontatie met Carla en Jeffrey niet aan en vermeed het zoveel mogelijk om de straat op te gaan. Als ze naar buiten moest, keek ze eerst uit het raam om te controleren of Carla niet in de straat liep en als ze haar straat inreed deed ze hetzelfde voordat ze haar auto parkeerde. Het was al een keer gebeurd dat Carla net met de kinderwagen naar buiten kwam op het moment dat Michelle thuiskwam. In plaats van haar auto te parkeren en uit te stappen was ze doorgereden, om maar bij haar buurvrouw uit de buurt te blijven. Pas na een paar rondjes rijden was ze in staat geweest terug te gaan en toen was Carla gelukkig uit het zicht.

Nadat ze vandaag haar boodschappen had gedaan, ging het net zo. Carla liep achter de kinderwagen door de straat. Ze bleef staan toen ze Michelle's auto zag naderen, maar Michelle keurde haar geen blik waardig en reed gewoon door. Om de hoek zette ze haar auto met trillende handen aan de stoeprand. Dit werd gewoon te gek. Ze kon Carla toch moeilijk jarenlang op deze manier ontlopen. Maar een confrontatie vond ze nog te moeilijk. Zolang het nog voelde of Jeffrey háár kind was die van haar af was gepakt, kon ze Carla niet onder ogen komen. Daar zou nog heel wat tijd overheen gaan, vreesde ze. Soms hoorde ze hem door de dunne muren heen huilen en dan huilde haar hart mee. Ze wilde hem dan zo graag dicht tegen zich aan houden en hem troosten, dat het bijna lichamelijk pijn deed.

Het duurde zeker tien minuten voor ze zichzelf weer voldoende in de hand had om terug te keren naar haar eigen straat. Voor ze de hoek omsloeg scande ze met haar ogen de omgeving. Carla was nergens te bekennen, ze kon veilig uitstappen. Ze vond een parkeerplek voor haar eigen deur en stapte uit om eerst haar buitendeur te openen voor ze de zware boodschappentassen uit de kofferbak haalde. Teruglopend naar haar auto hoorde ze iemand tegen het raam tikken. Automatisch keek ze op om te kijken wie haar aandacht vroeg. Het was Carla. Zodra ze Michelle haar kant op zag kijken opende ze haar raam.

"Michelle, kan ik even met je praten?"

Zonder antwoord te geven opende Michelle haar kofferbak.

"Toe, het is belangrijk," smeekte Carla.

"O ja? Valt het zorgen voor een baby tegen en wil je alsnog van hem af?" vroeg Michelle hatelijk.

"Ik begrijp dat je kwaad bent."

"Nee, je begrijpt helemaal niets!" Michelle zette haar tassen op de grond en draaide zich om naar Carla. Haar ogen spoten vuur. "Het is geen kwestie van kwaadheid. Ik ben kapot. Volledig vernietigd. Ik neem jou niet kwalijk dat je zelf voor je zoon wilt zorgen, op een bepaalde manier ben ik daar zelfs blij om, maar doe niet alsof je me begrijpt, want dat is niet zo. Jij kunt onmogelijk voelen wat ik voel. Je hebt iets van me af gepakt wat ik nog helemaal niet had, maar wat wel al het belangrijkste ter wereld voor me was."

"Toen ik hem eenmaal in mijn armen had, kon ik het niet meer. Ik kon me zelfs niet eens voorstellen dat de gedachte ooit in me opgekomen was," zei Carla zacht.

"Omdat je nooit nadenkt bij wat je doet," wierp Michelle haar bitter voor de voeten. "Je leeft er maar op los zonder je om anderen te bekommeren, dat heb je altijd al gedaan. Nogmaals, ik zal je nooit kwalijk nemen dat je voor je zoon hebt gekozen, ik neem je echter wel kwalijk dat je lichtzinnige beloftes hebt gedaan zonder je te realiseren wát je beloofde. Je had ook een slag om de arm kunnen houden, om zodoende na de bevalling pas een definitieve beslissing te nemen. Maar nee, zover dacht je niet na. De zwangerschap kwam je niet uit, dus wilde je er vanaf, hoe dan ook. Je was er zo stellig van overtuigd dat je absoluut geen kind wilde, dat wij daarin mee zijn gegaan. Na alles wat er is gebeurd, heb je ons daarmee de genadeklap toegebracht. Hoe kun je in hemelsnaam met jezelf leven?" Haar stem sneed.

"Het spijt me."

"Daar hebben wij niets aan."

"Ik weet dat ik het niet goed kan maken en ik begrijp heel goed dat je me nooit meer wilt zien, maar dat hoeft ook niet. Ik ga volgende week verhuizen," zei Carla. "Ik kan een flat huren die veel dichter bij mijn werk ligt."

Michelle pakte haar tassen op en liep ermee naar binnen. Wat haar betrof was dit gesprek afgelopen.

"Daar ben ik blij om," was het enige wat ze nog zei voor ze haar buitendeur met een klap in het slot gooide.

HOOFDSTUK 16

Michelle sloeg de verhuizing van Carla, begin december, van achter het raam gade, half verstopt achter het gordijn. Veel spullen bezat Carla niet, dus alles was al snel ingeladen in het busje wat voor de deur stond. Ze zag een aantal voor haar vreemde mannen heen en weer lopen met dozen en meubelstukken. Carla kwam pas als laatste naar buiten, met Jeffrey in de maxicosi in haar armen. Toen ze hem neerzette om de deur af te sluiten kon Michelle hem goed zien. Een prachtige baby, met grote, blauwe ogen die nieuwsgierig de wereld in keken. Heel even leek hij haar recht aan te kijken en op dat moment nam Michelle pas echt afscheid van hem en tevens van een mooie droom. Dag Vincent, zei ze in gedachten. Voor haar zou Jeffrey altijd Vincent blijven, of ze hem nu wel of niet op zag groeien.

Tijdens de feestdagen verbleven Ruben en Michelle in het buitenland, zo ver mogelijk weg van alle feestelijkheden en verplichtingen. Daarna pakten ze zo goed en zo kwaad als het ging het normale leven weer op. Werken, het huishouden, hobby's, Michelle zorgde ervoor dat ze bezig bleef om maar zo min mogelijk na te hoeven denken. Door te piekeren veranderde ze niets aan haar situatie, had ze realistisch besloten. Ze gunde zichzelf het verdriet, maar weigerde daarin te verdrinken. Dat was iets wat ze het afgelopen jaar wel geleerd had. Ze zette haar glazen masker weer op, stortte zich op haar werk en zorgde ervoor dat haar leven gevuld was, al bleef de lege plek in haar hart akelig schrijnen. Ze moesten iets vinden om hun leven ook weer echt zin te geven, als vervanging van een kind, hoe akelig dat haar ook in haar oren klonk. Ooit zou ze daar aan toe zijn, maar nu nog niet. Nu was het vooral overleven wat ze deden.

Half februari kwam het lang verwachte telefoontje van Louise dat ze thuis bevallen was van zoon Timo. Michelle was één van de eersten die bij haar op bezoek ging om de baby te bewonderen. Met enige aarzeling betrad ze de slaapkamer, maar haar schroom verdween op het moment dat ze Louise stralend in bed zag liggen, met de baby in haar armen.

"Gefeliciteerd." Michelle kuste haar op allebei haar wangen. "Laat dat wonder eens zien. O Louise, wat een schatje!"

"Mooi hè," zei Louise trots. "Wil je hem even vasthouden of ben je daar nog niet aan toe?"

Michelle glimlachte. Dit was Louise ten voeten uit. Recht voor zijn raap en zonder omwegen. Ze kon dat wel waarderen. Een ander zou misschien angstvallig haar kindje uit haar buurt houden, maar Louise vroeg gewoon waar ze behoefte aan had.

"Natuurlijk wil ik hem vasthouden," was haar antwoord. "We zijn officieel dan wel geen familie, maar het voelt alsof ik een neefje heb gekregen." Ze koesterde de baby in haar armen. Timo leek totaal niet op Vincent/Jeffrey, ontdekte ze tot haar opluchting. Zijn gezichtje was smaller en hij had geen haren. "Was de bevalling zwaar?" wilde ze weten.

"Viel wel mee. In totaal heeft het nog geen tien uur geduurd. Alleen het laatste uur viel tegen, hij wilde er niet uit. Maar ik wil het even over jou hebben," zei Louise.

"Over mij? Daar is het laatste jaar al genoeg over gepraat," zei Michelle afwerend. "Dit is jouw dag, jouw moment."

"Heel even, dan laat ik het rusten," beloofde Louise. Ze keek haar vriendin onderzoekend aan. "Ik ben dolblij dat je meteen bent gekomen, maar je hoeft je voor mij niet groot te houden. Als je liever wat afstand neemt in deze omstandigheden zal ik dat heel erg vinden, maar het wel begrijpen en je niets kwalijk nemen."

"Je bent gek," viel Michelle uit. Ten overvloede tikte ze daarbij met haar wijsvinger op haar voorhoofd. "Het is geen geheim dat ik het heel erg zwaar heb gehad en soms nog heb, maar dat staat helemaal los van jullie. Ik heb geen moeite met Tessa of Timo, want dat zijn jouw kinderen, dat onderscheid kan ik echt wel maken. Trouwens, het gemis en verdriet om het één, hoeft het geluk en de blijdschap om het ander niet in de weg te staan. Die gevoelens staan gewoon naast elkaar. Ik ga mezelf de blijdschap niet ontzeggen omdat een andere plek in mijn hart verdriet heeft."

"Dan is het goed, dat wilde ik even zeker weten. Ik wil niet dat onze vriendschap verzandt omdat ik alleen nog maar over mijn kinderen praat en jij hard gillend wegrent."

"Nooit," verzekerde Michelle haar. "Daarvoor is onze band te hecht. Trouwens, als jij alleen nog maar over je kinderen gaat praten, trek ik je wel aan je jasje. Ik sta niet toe dat jij zo'n zeurderig type wordt met als enige gespreksonderwerp de streken van Tessa of de tandjes van Timo."

"Afgesproken," lachte Louise. Ze zakte wat dieper weg in de kussens, dus Michelle stond op. Louise zat er wel zo stoer bij, maar ze had net een enorme krachtinspanning geleverd en had haar rust nodig. Haar ogen vielen al dicht op het moment dat Michelle de slaapkamer verliet. Toch viel Louise niet meteen in slaap. Ze staarde Michelle nadenkend na. Juist door haar kalme, sterke reactie was de gedachte aan draagmoederschap weer bij Louise opgekomen. Michelle verdiende gewoon een kind, alleen al door de manier waarop ze met haar verdriet omging, dacht Louise bij zichzelf. Zij en Ruben zouden leuke, maar ook goede ouders zijn. Ze verwierp die gedachte overigens meteen weer na een blik op Timo. De gedachte dat ze hem af zou moeten staan, bezorgde haar koude rillingen van afschuw.

Toch liet het haar niet meer echt los, ook niet na haar kraamtijd. Hoe druk haar leven ook was met twee kleine kinderen en een eigen bedrijf, het sluimerde voortdurend ergens op de achtergrond. Zou ze het kunnen? Wilde ze het eigenlijk wel? Die vragen spookten door haar hoofd heen zonder dat ze er vat op leek te hebben. De ene dag dacht ze dat ze het wel aan zou kunnen, op andere momenten was ze zeker van niet. Maar zelfs op die momenten bleven de vragen in haar hoofd rond tollen. Hoe moest het juridisch geregeld worden? Waar en hoe zou de inseminatie dan plaatsvinden? Zou Dave er achter kunnen staan? Zou ze het kindje voortaan niet altijd als haar eigen kind beschouwen? In dat geval kwam de vriendschap tussen haar en Michelle zwaar onder druk te staan, besefte ze. Vooral 's nachts in het donker kwamen dit soort vragen opzetten. Louise begreep inmiddels wel dat ze er niet meer los van zou komen tot ze een definitieve beslissing genomen had. Ze was echter pas bevallen, zat nog vol heen en weer slingerende hormonen en haar lichaam was nog helemaal niet hersteld. Niet het meest geschikte tijdstip om zo'n verregaand besluit te nemen, ongeacht welke kant dat besluit opging. Ze zou minstens een jaar wachten en er dan diep en grondig over nadenken, nam ze zich voor. Op dat moment zou ze het ook pas bespreekbaar maken, zelfs tegenover Dave. Als hij niet bereid was zijn medewerking te verlenen, zou het sowieso niet doorgaan, daar was ze heel stellig in. Zoiets kon ze niet in haar eentje, iedereen in haar omgeving moest er achter staan.

Ze schoof alles dan ook resoluut naar een donker hoekje van haar hersens, maar kon niet voorkomen dat het af en toe toch tevoorschijn kwam. Vooral als ze Michelle met haar kinderen bezig zag. Wacht maar, misschien is dit voor jou toch nog weggelegd, dacht ze dan stiekem bij zichzelf. Ze zei echter niets, doordrongen van het feit dat ze Michelle geen valse hoop mocht geven, zelfs geen sprankje. Als ze straks besloot het niet te doen, zou ze er nooit een woord over loslaten, bezwoer ze zichzelf. Dan kwam Michelle nooit te weten dat ze er over nagedacht had.

De eerste verjaardag van Timo werd uitgebreid gevierd, met veel visite, veel slingers en nog veel meer lekkere hapjes en taarten.

"Dat is het voordeel van een eigen cateringbedrijf," zei Louise lachend tegen Michelle. "Je kunt zo lekker je personeel aan het werk zetten om de taarten te bakken. Ik had er zelf geen omkijken naar."

"Dat arme personeel van jullie heeft het maar zwaar," zei Michelle.

Ze keek naar Timo, die geen flauw benul had van het feit dat hij het middelpunt van deze dag was, maar zich wel prima vermaakte op de grond. De cadeaus die hij gekregen had keurde hij geen blik waard, hij hield zich bezig met het vrolijk gekleurde papier wat erom heen gezeten had. Hij voelde eraan, verfrommelde het tussen zijn vingers en stopte af en toe een stuk in zijn mond om erop te sabbelen. Tessa, helemaal de grote zus, was er dan steeds als de kippen bij om het uit zijn mond te halen.

"Mag niet, Timo," zei ze streng.

Ruben ging erbij zitten op de grond en probeerde Timo's belangstelling te wekken voor een fel gekleurde tol, die muziek maakte als je hem aandraaide. Kraaiend van plezier kroop Timo naar hem toe, om zich op te hijsen aan Rubens arm. Wiebelend bleef hij staan.

Op dat moment trok het verdriet weer even heel fel door Michelle's lijf heen. Wat zou het fantastisch zijn als Ruben zo met zijn eigen kind kon spelen. Misschien moesten ze toch weer eens praten over adoptie, al was dat iets waar ze nog steeds niet helemaal achter kon staan. Maar ze gunde Ruben het vaderschap. In het dagelijks leven hadden ze het verdriet aardig verwekt en het gemis een plek gegeven, maar soms, zoals op dit soort dagen, voelde het aan alsof het zich allemaal gisteren had afgespeeld. Dan deed het echt lichamelijk pijn.

Louise keek tersluiks naar haar. Hoewel Michelle's gezicht onbewogen stond, begreep ze precies wat er in haar vriendin om moest gaan. Evenals Ruben keek Louise dwars door het glazen masker heen naar de emoties die eronder lagen.

Het werd tijd om een definitief besluit te nemen, realiseerde ze zich. Het hele jaar was er geen dag voorbij gegaan zonder dat ze aan de mogelijkheid had gedacht om Michelle en Ruben hun kind te geven, maar ze had zich aan haar voornemen gehouden om zichzelf de tijd te geven er naar toe te groeien. Nu was het zover. Ze moest met Dave praten, polsen hoe hij erover dacht en dan langzaam maar zeker naar een beslissing toewerken. Als ze naar het verdriet in Michelle's ogen keek, wilde ze haar het liefst meteen toeroepen dat zij haar wel zou helpen, maar dat verdriet alleen was geen maatstaf. Er speelden zoveel andere factoren mee. Allereerst Dave. Als haar partner moest ze zijn volledige medewerking hebben. Als hij ook maar een spoortje twijfel vertoonde, ging het hele verhaal niet door.

Ze wachtte nog een paar dagen met het gesprek met Dave, tot ze een avond voor zichzelf hadden. Tessa en Timo sliepen, Beatrice was in haar eigen kamer en er wachtte die avond geen werk op hen.

"Wat een rust," zei hij tevreden nadat hij een luidkeels protesterende Tessa in bed had gelegd. "De dame had geen zin om te slapen. Ze was niet moe, beweerde ze, maar haar ogen vielen al dicht voor ik haar kamertje uit was."

"Ze is doodsbang om iets te missen, daarom wil ze nooit slapen," wist Louise. "Wil je koffie?"

"Ja, lekker. Koffie en voetbal, wat kan een man zich nog meer wensen?" Hij lachte en kuste haar op het puntje van haar neus. Tegelijkertijd zette hij met de afstandsbediening de televisie aan.

"Eigenlijk wil ik met je praten," zei Louise. "Vind je het heel erg om die wedstrijd te missen?"

"Dat ligt eraan. Als het serieus is, kan die wedstrijd me niet schelen. Als je echter gaat klagen over de buren of over de prijzen van de levensmiddelen tegenwoordig, ben ik niet beschikbaar," antwoordde Dave.

"Het is behoorlijk serieus," verzekerde Louise hem. "Misschien verklaar je me zelfs wel voor gek en laat je me vanavond nog gedwongen opnemen in een gesloten inrichting."

Ze had meteen zijn volledige aandacht. Zelfs de koffie werd vergeten toen hij haar naast zich trok op de bank.

"Vertel," zei hij eenvoudig.

Louise haalde diep adem. Erover nadenken was toch nog iets heel anders dan er over praten.

"Ik denk erover om draagmoeder te worden voor Ruben en Michelle," gooide ze er in één keer uit. Ze hoorde zelf hoe belachelijk het klonk nu het zo open en bloot op tafel werd gegooid. Enigszins schuw keek ze opzij naar Dave. Ze kon het hem niet kwalijk nemen als hij hard begon te lachen of juist kwaad zou informeren of ze niet goed wijs was. Er gebeurde echter niets van dat alles. In plaats daarvan knikte hij bedachtzaam.

"Dus dat is het. Ik merkte al dat je ergens mee worstelde. Die gedachte is bij mij trouwens ook regelmatig opgekomen," bekende hij.

"Echt? Daar heb je niets over gezegd."

"Ik ben een man, ik kan zoiets nooit ter sprake brengen," meende hij beslist. "Trouwens, die pot en die ketel, komen die je bekend voor?"

"Het is geen onderwerp wat je even makkelijk tussen neus en lippen door bespreekt," verdedigde Louise zichzelf. "Dit is zoiets ingrijpends, zo beladen. Ik vind het ontzettend moeilijk. Ik loop hier al mee sinds de geboorte van Timo, maar als de hormonen door je lijf gieren ben je niet echt in staat om zoiets rationeel te bekijken. En juist dat is heel hard nodig," waarschuwde ze. "Als je alleen je gevoel laat spreken, loopt het mis. Het verstand moet hier in de boventoon voeren."

"En is je verstand er al uit?"

Ze knikte. "Ja. Ik wil het voor ze doen, maar dat kan ik niet in mijn eentje. Jij moet er achter staan en je medewerking geven. Stel dat ik bijvoorbeeld last ga krijgen van bekkeninstabiliteit of zwangerschapsvergiftiging, dan ben ik een tijdje uit de roulatie."

"Je kunt ook ziek worden als je niet zwanger bent," meende Dave nuchter.

"Maar dan is het overmacht en kan niemand er iets aan doen. Als ik een ziekte krijg die gerelateerd is aan de zwangerschap, wil ik niet het verwijt krijgen dat het mijn eigen schuld is."

"Je hebt er wel goed over nagedacht, dit zou in mijn hoofd nooit opgekomen zijn."

"Het verstand, dat zei ik al," hielp Louise hem herinneren. "Ik doe al een jaar niets anders dan erover nadenken. Ik denk niet dat er één kant aan de zaak zit die ik niet overwogen heb."

"Zo diep ben ik niet gegaan," zei Dave eerlijk. "Ik praat regelmatig met Ruben en ik zie hoe kapot hij is van alle gebeurtenissen die hen overkomen zijn. Op zulke momenten schiet de gedachte wel eens door mijn hoofd heen dat wij misschien iets voor ze kunnen doen, maar, zoals ik al zei, dat kan ik niet aan je vragen. Heeft Michelle overigens ooit iets in die richting gezegd?"

Louise schudde haar hoofd. "Dat zou ze nooit doen. Jij bent er in principe dus niet op tegen?"

"Zeker niet, maar we hebben nog wel het één en ander te bespreken voor we Michelle en Ruben blij maken met een dooie mus," zei hij bedachtzaam. "Ik weet van tevoren niet zeker hoe ik ga reageren als ik daadwerkelijk zie dat mijn vrouw zwanger is van een andere man. Zoiets ervaren is iets totaal anders dan erover praten."

"Dat geldt voor ons allebei. Ik ben er op dit moment van overtuigd dat ik het aankan, maar hoe zal het me vergaan als ik het kindje straks voel bewegen? Ben ik dan nog zo stellig? Dat weet ik ook niet. Hoe je het ook wendt of keert, de baby is voor de helft van mij. Al zal ik mezelf van het begin af aan voorhouden dat hij of zij van Ruben en Michelle is en dat ik alleen als een soort broeikas dien, het kind groeit toch in mijn lichaam. Ik moet er van bevallen om daarna met lege handen over te blijven. Dat zijn zaken die ik me heel goed realiseer, toch weet ik niet echt hoe dat gaat voelen. Het enige wat ik heel zeker weet, is dat ik het Michelle en Ruben niet aan kan doen om op het laatste moment terug te krabbelen. Dat zou pas echt haar doodsteek zijn."

"Waar ik ook mee zit, zijn Tessa en Timo. Hoe gaan we hen vertellen dat mama weliswaar een baby in haar buik heeft, maar dat het niet hun broertje of zusje wordt?"

Getroffen keek Louise hem aan. Dat was iets waar ze niet aan had gedacht, ondanks haar woorden van daarnet.

"Geen idee," zuchtte ze. "Jeetje, er zitten wel heel veel haken en ogen aan. Moeten we het maar niet gewoon afblazen?"

"Daar meen je niets van," zei Dave kalm. "Je bent al zover. Wellicht zijn er nog talloze redenen waarom we alsnog besluiten het niet te doen, maar dan moeten het gegronde redenen zijn en die liggen vooral op het emotionele vlak. Voor praktische vraagstukken is altijd een oplossing te bedenken. De voornaamste factor hierin ben jij. Jij moet in staat zijn negen maanden een kind te dragen om het vervolgens aan een ander te geven, dat blijft het allermoeilijkste gedeelte."

"Ik weet in ieder geval heel zeker dat ik zelf geen kind meer wil, ons gezin is compleet. Anders zou ik het niet eens overwegen," zei Louise peinzend. "De zwangerschap op zich staat me echter niet tegen. Die verliepen allebei heel vlot, dus dat is geen reden om het niet te doen. Het scheelt ook dat we een jongen en een meisje hebben, dus het geslacht doet er niet toe. Als je zelf twee dochters hebt en je krijgt dan voor een ander een zoon, ligt het misschien toch gevoeliger."

"Je hebt er echt goed over nagedacht, merk ik." Dave stond op. "Ik ga die beloofde koffie maar eens inschenken, daar heb ik nu wel behoefte aan. Dus we doen het?"

"Voor mezelf ben ik er inderdaad wel uit, maar ik vind dat jij er nog even over moet denken en alles wat we nu besproken hebben op een rijtje zet. Dit is niet zomaar iets, Dave. Ik ben er al een jaar mee bezig, jij niet. Jij hebt het vanavond pas allemaal voor je kiezen gekregen."

"Voor mij is het dan ook stukken minder ingrijpend dan voor jou."

"Vergis je daar niet in. Het zou voor jou zelfs wel eens moeilijker kunnen zijn, want jij staat machteloos langs de zijlijn," waarschuwde Louise hem. "Als het doorgaat, wordt de zwangerschap iets van mij, Ruben en Michelle. Jij bent daar niet rechtstreeks bij betrokken, want het wordt jouw kind niet. Voor jou wordt het negen maanden afzien. Je krijgt wel alle lasten, maar niet de lusten. Ons seksleven zal eronder te lijden hebben, jij zal meer taken in huis over moeten nemen naarmate de zwangerschap vordert en ik zal na de bevalling moeten herstellen. Allemaal zaken die je voor lief neemt als daar een baby tegenover staat, maar die in dit geval niets opleveren voor ons."

Dave staarde haar met grote ogen aan. Louise had alles grondig onder de loep genomen, dat werd hem steeds duidelijker. Zelf had hij er heel wat simpeler over gedacht, maar hij kon de obstakels die zij nu opwierp niet negeren. Had hij dat werkelijk allemaal over voor zijn vriend?

"Koffie," zei hij beslist. "Hete, sterke koffie. Het duurt nog wel even voor we eruit zijn, vrees ik."

Hoofdschuddend liep hij naar de keuken. Waar waren ze in vredesnaam aan begonnen?

HOOFDSTUK 17

Na maandenlang eindeloos praten, alle voor- en nadelen tegen elkaar afwegen en een grondig zelfonderzoek, viel uiteindelijk de beslissing. Ze gingen ervoor. Opgelucht omdat de knoop was doorgehakt, maar tevens een tikje angstig keken Louise en Dave elkaar aan. Hoe goed alles ook overdacht was en hoe zakelijk ze het ook konden benaderen, ze beseften terdege dat ze aan een avontuur gingen beginnen waarvan ze de afloop niet precies konden voorspellen. Niemand kon echt inschatten hoe Louise zich zou voelen als ze de baby aan Michelle en Ruben mee moest geven, maar ze was meer dan bereid dat risico te nemen. Ze hadden er zo lang en zo goed over nagedacht dat ze ervan overtuigd waren dat ze het aan konden.

De volgende hindernis die ze moesten nemen, was het inlichten van Beatrice. Omdat zij bij hen in huis woonde en gedeeltelijk de huishouding en de verzorging van de kinderen op haar schouders had liggen, was zij er ook bij betrokken. Zeker de laatste weken tot aan de bevalling en de eerste weken daarna, kwam er meer werk op haar bord te liggen, dat konden ze er niet zomaar opschuiven zonder dat eerst te bespreken.

Louise wist bij voorbaat al dat Beatrice negatief zou reageren en daar kwam ze niet bedrogen in uit.

"Jullie lijken wel niet goed wijs!" viel ze uit zodra Louise en Dave haar op de hoogte stelden van hun plannen. "Je eigen kind weggeven. Ik heb je beter opgevoed dan dat." Ze sloeg haar ogen met een dramatisch gebaar naar het plafond.

"Het is mijn kind niet," zei Dave nuchter. Ook hij had deze reactie wel verwacht, tenslotte kende hij zijn moeder als geen ander. Hij wist echter ook dat ze een hart van goud had, al zat dat meestal verborgen onder een lading oud ijzer, zoals hij altijd zei.

"Maar jij!" Ze wendde zich tot Louise, met een beschuldigend uitgestoken wijsvinger. "Hoe kun je? Je hebt zelf twee kinderen, dus je weet hoe het voelt om zwanger te zijn."

"Daarom juist," knikte Louise. "Anders was ik er zeker nooit aan begonnen. Ons gezin is compleet, wij verlangen totaal niet naar een derde."

"Totdat je bevallen bent en het kind weg moet geven," voorspelde Beatrice somber.

"Het is voor Michelle, voor een vreemde zou ik het niet op kunnen brengen. Ook niet voor geld," beweerde Louise. "Zoals ik het zie, leen ik mijn lichaam een klein jaar uit aan Michelle en Ruben. Wat is tenslotte een jaar op een mensenleven?"

"Dat ligt eraan hoe oud je wordt," bromde Beatrice ongewild komisch.

Uiteindelijk zegde ze haar medewerking toe, al liet ze duidelijk merken dat ze het er niet mee eens was. Louise ging er vanuit dat ze vanzelf bij zou draaien. Haar schoonmoeder was de kwaadste niet, al kon ze behoorlijk zeuren. Ze had al die tijd intens met Michelle en Ruben meegeleefd. Ook al riep ze nu dat ze tegen draagmoederschap was, toen Carla destijds besloot haar baby zelf te houden was er niemand kwader op haar dan Beatrice. Ze was in staat geweest hoogstpersoonlijk de baby bij Carla weg te halen om hem bij Michelle te brengen.

Eindelijk, anderhalf jaar na de geboorte van Timo en bijna drie jaar na die fatale dag waarop Michelle's leven ten kwade veranderde, waren ze zo ver dat ze Michelle en Ruben hun voorstel voor konden leggen. Een zeer goed doordacht en zeker geen lichtzinnig voorstel.

Ze nodigden hen er officieel voor uit. Tessa en Timo lagen al in bed, Beatrice had uit zichzelf aangekondigd dat ze er niet bij wilde zitten als ze met Michelle en Ruben praatten. Louise en Dave waren overigens niet van plan geweest haar daarvoor te vragen. Ze hadden Beatrice's medewerking nodig, maar dit werd een pact tussen hun vieren.

"Hebben we soms iets te vieren vanavond?" vroeg Michelle nieuwsgierig zodra ze binnen kwamen. "Je uitnodiging was zo plechtig."

"Er is iets wat we met jullie willen bespreken," antwoordde Louise. Ze zette een blad met een thermoskan koffie, melk, suiker, koekjes en vier bekers op tafel, zodat ze niet steeds naar de keuken hoefde te lopen.

"Jullie gaan toch niet verhuizen, hè?" vroeg Michelle. Haar gezicht betrok al bij voorbaat. Zelfs het woord emigratie schoot even door haar hoofd heen.

"Nee, je zit in een hele verkeerde richting," stelde Dave haar gerust. "Eigenlijk zijn we hier bij elkaar voor jullie."

Niet begrijpend keken Michelle en Ruben elkaar aan. Dit werd steeds vreemder.

"Denken jullie nog steeds aan adoptie?" opende Louise het gesprek.

"Soms. Het hele concept van kinderen adopteren vanuit het buitenland spreekt me niet zo aan," antwoordde Michelle eerlijk. "Bij Carla lag dat anders, omdat ik haar ken. Het was persoonlijker."

"En als wij het nu weer eens persoonlijk maken voor jullie?" Michelle ging rechtop zitten.

"Wat bedoel je precies?" vroeg ze behoedzaam. "Kennen jullie soms een zwangere vrouw die haar kind af wil staan? In dat geval zeg ik nee. Dat risico ga ik geen tweede keer lopen. Ze hebben geen idee wat ze aanrichten als ze zoiets roepen."

"Ik had het over mezelf," zei Louise kalm.

"Jij?" vroeg Michelle met grote ogen.

"Ben je zwanger?" vroeg Ruben tegelijkertijd.

"Ik wil het graag worden voor jullie. Dit is niet zomaar een voorstel omdat we jullie graag gelukkig zien. We hebben er heel lang over nagedacht en er vaak over gepraat en we willen het graag voor jullie doen," zei Louise.

Er viel een diepe stilte na haar woorden. Michelle voelde langzaam twee tranen over haar gezicht glijden. Dit was zo'n enorm kostbaar geschenk. Stiekem had ze hierop gehoopt, maar het nooit durven verwachten. Ze had er ook nooit over willen praten, omdat je zoiets niet aan een ander kunt vragen.

"Weten jullie dat heel zeker?" vroeg ze schor.

"Natuurlijk, anders zou ik er nooit over begonnen zijn." Louise liep naar haar toe en omhelsde haar. "Al voor Timo's geboorte kwam de gedachte voor het eerst bij me op, kun je nagaan hoe lang ik er al mee rondloop. Je hoeft je ook niet bezwaard te voelen of te denken dat je dit niet aan mag nemen, want het komt recht uit ons hart."

Ruben zat er verdwaasd bij, zich afvragend of hij soms droomde. Dit was zo bizar, zo onwerkelijk. Maar tegelijkertijd ook zo fantastisch.

"Ik weet niet wat ik moet zeggen," zei hij na lange tijd.

"Jullie hoeven niet meteen ja of nee te roepen," zei Dave. "Denk erover."

"Natuurlijk willen we het!" riep Michelle echter uit. "Bij jou durf ik het wel, Louise. Jou vertrouw ik."

"Het gaat niet alleen om vertrouwen, de situatie is volkomen anders dan destijds met Carla. Ik begin hier weloverwogen aan, de gedachte om het kind af te staan is geen paniekreactie als gevolg van een onverwacht positieve zwangerschapstest. Als het doorgaat wordt het jullie zwangerschap en jullie baby. Ik ben slechts het werktuig om dat mogelijk te maken."

"Je zegt dat we ons niet bezwaard moeten voelen, maar dat doe ik wel," kwam Ruben nu. "Hoe goed je er ook over nagedacht hebt, ooit komt het moment dat het kind bij je weggehaald wordt. Als jij daar verdriet van hebt, is dat het niet waard. Dat willen we je niet aandoen."

"Dat is dan mijn probleem," weerlegde Louise dat. "Geloof me, we hebben het echt van alle kanten bekeken en ik sta er nog steeds achter. Als ik een spoortje twijfel had gehad, dan was ik er nooit over begonnen."

"In dit geval wordt Ruben dus de biologische vader," ontdekte Michelle. Ze kneep zijn hand haast fijn.

Louise knikte. "We moeten eens rustig bespreken hoe we dat allemaal aan gaan pakken, maar dat is zo, ja. Ruben wordt de vader. Maar jij wordt de moeder, Michelle, vergeet dat niet. Ik ben slechts tante Louise."

Michelle liet hoorbaar haar adem ontsnappen. Dit was zo overweldigend dat ze het maar amper kon bevatten.

"Er is nog wel meer te bespreken dan dat," zei Dave. "Op een ander moment, als jullie wat minder hyper zijn." Hij lachte. "Er zitten heel wat praktische kanten aan. Wat doen we bijvoorbeeld als het een tweeling blijkt te zijn?"

"Al worden het er zes," zei Michelle vanuit de grond van haar hart. "Ik zal er geen eentje weigeren."

Ze schoten allemaal in de lach bij deze verzuchting.

Uiteraard werd er de rest van de avond over niets anders meer gesproken. Michelle was volledig door het dolle heen. Ruben reageerde iets gematigder, maar aan zijn ogen zag iedereen hoe hij zich werkelijk voelde. Voor Louise was deze avond al beloning genoeg voor alles wat haar nog te wachten stond. Het was lang geleden dat ze haar dierbare vrienden zo onbezorgd gelukkig had gezien. Té lang. De opeen volgende negatieve gebeurtenissen hadden een zware wissel op hen getrokken. Het deed haar goed om Michelle's ogen weer te zien stralen als vanouds.

"Ik hoop dat jij je over de traumatische ervaring met Carla heen kunt zetten en dat je niet negen maanden lang bang bent dat ik me bedenk," zei ze ernstig.

Michelle keek haar recht aan.

"Ik ken jou," zei ze simpel. "Jij doet dit niet onbezonnen, daar ben ik van overtuigd. Natuurlijk moeten we nog afwachten of het ook allemaal gaat lukken, maar ik ben je nu al zo ontzettend dankbaar dat het niet in woorden uit te drukken is. Alleen al het feit dat je het wilt doen, is wat dat betreft genoeg. Een kind van Ruben en jou, dichter bij een eigen kind zal ik nooit komen. Jullie zijn de twee mensen waar ik het meeste van hou."

"Daar moeten we op drinken," meende Dave. Hij opende een fles wijn en schonk vier glazen vol. De koffie stond vergeten op het dienblad.

Met een plechtig gebaar hieven ze de glazen naar elkaar op. Vier mensen, zo verschillend, maar ook zo verbonden met elkaar.

Enkele maanden later vond de inseminatie plaats. Louise had besloten dit in het ziekenhuis te laten doen, hoewel het ook mogelijk was om thuis zelf aan de slag te gaan. Dat vond ze echter te beladen en te persoonlijk. Ze kon Dave niet vragen haar hierbij te helpen, bovendien was ze bang dat één van de kinderen uit bed zou komen en onverwachts in de slaapkamer zou verschijnen terwijl zij bezig was. Ze benaderde dit soort zaken graag zakelijk en professioneel, dat was voor haar de beste manier om ermee om te gaan.

Twee weken later staarden ze met zijn vieren naar de blauwe streep die langzaam maar zeker in het venster van de zwangerschapstest verscheen. Dave had zich terug willen trekken, maar hij was op verzoek van Michelle en Ruben aanwezig.

"We doen dit met zijn vieren, of we doen het niet," had Michelle gezegd. "Jij bent er net zo goed bij betrokken. Het lichamelijke aspect komt voor rekening van Louise en de geestelijke voorbereiding op de baby moeten wij doen, maar zonder jou was dit alles niet mogelijk. Deze baby wordt een beetje van ons allemaal."

Ze vierden de uitslag van de test met champagne voor Michelle, Ruben en Dave en vruchtensap voor Louise. De stemming was vrolijk en uitgelaten. Hoewel er lichamelijk gezien niets voor haar veranderde, voelde Michelle zich daadwerkelijk in verwachting van het komende kindje. Dat had Louise ook meteen gezegd toen de streep verscheen: "Je bent zwanger, Michelle." Geen seconde had ze de aandacht naar zichzelf toegetrokken, dit was echt het moment van Michelle en Ruben.

Later sloeg af en toe toch de twijfel toe bij haar. Terwijl Louise's buik groeide, voelde Michelle zich onzekerder worden. Haar aanvankelijke overtuiging dat Louise het aankon, begon te tanen naarmate de zwangerschap langer duurde, vooral omdat ze merkte dat Louise wel contact maakte met de baby in haar lichaam.

"Natuurlijk. Elk kind, ook als het nog niet geboren is, heeft recht op liefde en aandacht," zei Louise toen Michelle daar een keer een opmerking over maakte.

"Maar je bouwt er zo wel een band mee op." Michelle kon zichzelf wel slaan om deze opmerking, toch maakte ze hem. Carla's veranderde houding na de bevalling had diepere sporen achtergelaten dan ze zelf dacht, dat bleek wel.

"Dat klopt," zei Louise rustig. "Maar als jij dit kind gedragen had, zou ik er ook een band mee opbouwen, simpelweg omdat het jouw kind is. Die band is niet sterker dan mijn belofte aan jou, Michelle, daar hoef je niet bang voor te zijn."

"Dat ben ik soms wel, al wil ik het niet," bekende Michelle moeizaam.

"Dat lijkt me logisch, al weet ik voor mezelf dat het niet nodig is. Ik denk niet dat ik iets kan zeggen wat jouw angst wegneemt."

"Het is niet dat ik je niet vertrouw, dat weet je. Ik ben er honderd procent van overtuigd dat jij de baby straks aan mij geeft, maar toch..."

"Ik geef de baby niet aan jou, het is jouw baby," zei Louise daarop ernstig. "Dat is iets heel anders."

"Hij of zij groeit in jouw lichaam. Voelt het anders dan je zwangerschappen van Tessa en Timo? Dat kan ik me namelijk niet voorstellen."

"Toch is het zo. Natuurlijk voel ik het bewegen en schoppen, maar ik ervaar het anders. Als ik nu met mijn handen over mijn buik streel en tegen de baby praat, heb ik het niet over mezelf als 'mama', maar als 'tante Louise.' Ik vertel de baby regelmatig dat hij slechts bij mij logeert, maar dat hij bij jullie gaat wonen," zei Louise. "Ik ben me er voortdurend van bewust dat het jouw kind is. Gisteravond ging hij enorm tekeer en had ik op een gegeven moment zelfs het gevoel dat ik helemaal bont en blauw was van binnen. Toen dacht ik stiekem bij mezelf dat jij straks heel wat te stellen krijgt met hem of haar en dat ik daar tenminste geen last van heb."

Hoewel ze dit maar half geloofde, schoot Michelle in een bevrijdende lach en werd haar angst weer voor even de kop ingedrukt. Louise betrok haar bij alles wat de zwangerschap betrof. Michelle en Ruben gingen iedere controle mee naar de verloskundige terwijl Dave thuis bleef. In tegenstelling tot haar eerste twee zwangerschappen, was hij nu de persoon op de achtergrond. Hij voelde niet aan haar buik, hielp niet mee met het verzinnen van namen en luisterde niet met een leeg rolletje wc papier of hij het hartje kon horen. Dat soort zaken liet hij nu aan Michelle en Ruben over, hoewel Ruben in het begin aardig wat schroom moest overwinnen voor hij onbevangen zijn handen op Louise's buik durfde te leggen. Ze ging er echter zo vanzelfsprekend mee om dat hij er al snel geen moeite meer mee had.

Dit alles verliep zo compleet anders dan destijds met Carla, dat Michelle haar angst voelde wegebben en met steeds meer vertrouwen naar de toekomst keek. Ze verkocht de meubels die ze voor Vincent had aangeschaft en richtte het kamertje opnieuw in. Deze keer wisten ze het geslacht van de baby niet, dus hield ze de babykamer neutraal geel. Het maakte niemand wat uit of het een jongen of een meisje zou worden, ze lieten zich graag verrassen. Aan het eind van de zwangerschap kreeg ze zelfs last van nesteldrang. Ze maakte haar hele huis schoon, ruimde overbodige spullen op en hing in het hele huis nieuwe gordijnen op.

"Daar heb ik niet eens last van," grinnikte Louise. "Maar goed, ik ben dan ook niet in verwachting, zoals jij. Ik ben slechts zwanger."

"En dik," merkte Michelle meedogenloos op. "Je ziet eruit alsof je een skippybal hebt ingeslikt. Als we je op je zij leggen, kunnen we je straks zo naar het ziekenhuis rollen."

Louise had besloten dit keer in het ziekenhuis te bevallen, alweer om het zo zakelijk mogelijk te benaderen. Haar bevallingen van Tessa en Timo hadden allebei thuis plaats gevonden en ze wilde dat deze bevalling zoveel mogelijk verschilde van de vorige twee. Dave zou wel meegaan, maar niet in de verloskamer aanwezig zijn. Die plek was dit keer voor Michelle en Ruben bestemd. Louise had voorgesteld dat hij gewoon thuis kon blijven, maar daar wilde hij niets van weten. Hij wilde in de buurt zijn en haar direct bijstaan op het moment dat ze zonder baby achterbleef. Hij zei het niet hardop, maar hij zou blij zijn als dit hele gebeuren achter hen lag. Hij stond er nog steeds volledig achter, maar het duurde allemaal zo lang. Het werd tijd dat ze hun eigen leven weer oppakten, met hun eigen gezin. Hij voelde zich vaak een los aanhangsel, iemand die er niet echt bij hoorde, precies zoals Louise hem al voorspeld had. Bovendien was hij simpelweg bang voor Louise's reactie na de bevalling. De laatste weken was ze vaak in zichzelf gekeerd, iets wat hij herkende van haar eerdere zwangerschappen. Het was haar manier om zich geestelijk voor te bereiden op de veranderingen die stonden te gebeuren. Maar dit keer veranderde er niets, dus zag hij deze ontwikkeling met bezorgde ogen aan. Hij kon echter niets doen, behalve hopen dat het allemaal goed zou komen.

"Zie je tegen de bevalling op?" vroeg hij op een avond vlak voor de uitgerekende datum. Louise zat afwezig voor zich uit te staren terwijl ze met twee handen over haar buik wreef.

"Niet meer dan de vorige keren," was haar antwoord. "De pijn is iets waar ik even doorheen moet. Ze zeggen altijd dat je de herinnering aan de pijn meteen kwijt bent als je je kind in je armen houdt, maar dat heb ik nooit zo ervaren. Ik weet nog precies hoe het voelde."

"Vraag pijnstilling," raadde Dave haar aan. "Dat wilde je nooit, maar dit keer ligt het anders. Je hebt genoeg gedaan, het is niet nodig dat je ook die pijnen moet doorstaan. Tenslotte beval je dit keer in het ziekenhuis, dus het is voor handen."

Louise keek hem aan alsof ze hem voor het eerst zag.

"Je bent geweldig," zei ze. "Hier loop ik al weken over te piekeren en jij lost het heel simpel op. Waarom heb ik daar zelf niet aan gedacht?"

"Daar ben ik toch voor," zei hij met een brede grijns. "Dan doe ik tenminste ook iets nuttigs."

Ze pakte zijn gezicht met haar beide handen beet en keek hem diep in zijn ogen.

"Jij doet heel veel," zei ze innig. "Er zijn maar weinig mannen die dit aan zouden kunnen, daar ben ik van overtuigd. Je zult je best wel eens nutteloos voelen binnen deze hele situatie, maar bedenk goed dat het zonder jou niet door had kunnen gaan. Jij bent onbetaalbaar in dit geheel."

"Mijn rol valt in het niet vergeleken bij de jouwe."

Louise schudde haar hoofd. "Dat is absoluut niet waar. We moeten hier samen doorheen, Dave. Zeker straks heb ik jou heel hard nodig, dat weet ik nu al."

"En ik zal er voor je zijn," beloofde hij eenvoudig.

Hij nam haar in zijn armen en zwijgend bleven ze zo een tijd zitten. Er brak een moeilijke tijd aan, dat wisten ze zonder dat ze er over hoefden te praten. Moeilijker dan ze van tevoren in hadden kunnen schatten, daar waren ze wel achter.

HOOFDSTUK 18

De weeën begonnen op een donderdagochtend. Michelle hield er rekening mee dat ze ieder moment gebeld kon worden, toch schrok ze van het bewuste telefoontje. Ze voelde haar maag samentrekken, alsof zij degene was die de weeën op moest vangen. "Het is nog maar net begonnen, ik hoef nog niet naar het ziekenhuis toe," zei Louise. "Pas als de weeën sneller op elkaar komen en langer duren."

"Ik kom naar je toe." Michelle wachtte niet op antwoord, maar verbrak meteen de verbinding. Paniekerig keek ze om zich heen. "Rustig," kalmeerde Patricia haar. "Ik maak dit wel alleen af, ga jij maar. Sterkte, meid. Vergeet Ruben niet te bellen." Dat laatste riep ze al tegen een dichte deur, maar Michelle kwam meteen daarna weer terug om haar telefoon te pakken, die ze op het bureau had laten vallen. Met een glimlach toog Patricia weer aan het werk, hopend dat alles vlot zou verlopen en Michelle die avond inderdaad een gelukkige moeder zou zijn.

De rest van de dag bracht Michelle bij Louise door, later ook vergezeld van Ruben. Dave bleef gewoon aan het werk, zoals afgesproken. Hij zou pas boven komen als ze naar het ziekenhuis gingen. Dat moment brak halverwege de middag aan. In overleg met de gynaecoloog en de anesthesist was besloten dat Louise een epidurale verdoving zou krijgen op het moment waarop zij aangaf dat ze het wilde. Als de ontsluiting te ver gevorderd was, kon dat echter niet meer geplaatst worden, dus besloot de verloskundige bij een ontsluiting van drie centimeter dat het tijd was om naar het ziekenhuis te gaan.

De dag was voor Michelle moeilijker dan voor Louise. Ze liep rond als een kip zonder kop, stelde de meest onzinnige vragen en liep voortdurend in de weg. Zelfs Ruben kon haar niet kalmeren. Ze had zelfs buikpijn, puur van de zenuwen.

"Meer buikpijn dan ik," grinnikte Louise. "Dat infuus helpt fantastisch, ik voel bijna niets. Had ik dat de eerste twee keren maar geweten!"

"Ik zou het zo van je overnemen, inclusief de pijn," zuchtte Michelle. Ze pakte Louise's handen vast en kneep ze bijna fijn. "Heb ik je al bedankt voor alles wat je voor ons doet?"

"Te vaak," antwoordde Louise nuchter. "Trouwens, ik doe het voor mezelf. Jij kijkt steeds zo hongerig naar mijn kinderen, ik ben bang dat je ze op een gegeven moment ontvoert als je er zelf geen eentje krijgt."

"Als deze dan maar net zo leuk wordt als Tessa en Timo, anders blijf je dat risico lopen," grijnsde Michelle.

"Ik doe er moeite genoeg voor," blies Louise.

"Misschien wordt het wel een heel vervelend kind, zo eentje die niemand op visite wil krijgen," bedacht Michelle plezierig.

"In dat geval wil ik hem of haar niet terug, hoor," riep Louise meteen.

Hier waren ze goed in, onzinnige gesprekken voeren die nergens op sloegen. Ze deden dat vaker, om hun ware gevoelens te maskeren. Ze wisten toch wel van elkaar wat ze voelden, daar hoefden ze niet mee te koop te lopen.

Na een paar uur sloeg de lacherige stemming echter om en begon het serieuzere werk. Ruben was met een wit gezicht naast Dave in de wachtkamer gaan zitten. Het werd hem iets te heftig, bovendien vond hij het té intiem worden. Ook al was dit zijn eigen kind, Louise was nu eenmaal niet zijn eigen vrouw, daar was hij zich heel goed van bewust. Als de uitdrijving echt begon, zou hij plaats nemen aan het hoofdeinde van de verlostafel, was de afspraak. Dan was hij er in ieder geval bij als zijn kind geboren werd, maar hoefde hij niet alles te zien.

Eindelijk, om acht uur die avond, was het zover. Louise had tien centimeter ontsluiting en kreeg het sein om te persen. Vanwege de verdoving voelde ze de persweeën echter niet goed en ging dat haar moeizaam af. Ze perste wanneer haar gezegd werd dat het kon, maar ze voelde zelf niet de oerdrang die ze kende van haar bevallingen van Tessa en Timo. Het duurde dan ook ruim een uur voor de baby uit het geboortekanaal kwam, vergezeld van een golf vruchtwater en een plas bloed. Ruben en Michelle keken hand in hand gebiologeerd toe bij dit natuurgeweld.

"Een meisje," sprak de verloskundige opgewekt terwijl ze de baby aanpakte en haar met een snelle blik keurde. Uit gewoonte wilde ze het kindje bij de net bevallen moeder op de borst leggen, maar Louise weerde dat af.

"Geef haar aan Michelle," zei ze alleen maar.

De verloskundige herstelde haar fout onmiddellijk en wendde zich tot Michelle.

"Kijk eens, moeder, hier is je dochter," zei ze.

Michelle durfde zich amper te bewegen. Haar ogen zochten die van Louise en zij knikte haar toe.

"Pak haar maar, ze is van jou," zei ze met een brok in haar keel.

De assisterende verpleegster kwam razendsnel met een stoel aandragen, zodat Michelle met de baby in haar armen kon gaan zitten. Dat was ook wel nodig, want haar knieën knikten en de kamer draaide voor haar ogen. Intens nam ze het gezichtje van de baby in zich op.

"Ze lijkt op jou," zei ze door haar tranen heen tegen Ruben.

Hij knielde naast haar en samen verloren ze zich in de eerste kennismaking met hun dochter. Michelle voelde zich op slag moeder, alsof ze haar zelf gebaard had.

Het was de verloskundige die een eind aan dit idyllische tafereel maakte, na een vorsende blik op Louise. De kraamvrouw was haar eerste zorg en ze zag aan haar dat dit niet te lang moest duren. Het was waarschijnlijk beter als de baby zo snel mogelijk uit haar gezichtsveld verdween. Snel en vakkundig bond ze de navelstreng af, waarna ze de schaar aan Ruben overhandigde. Plechtig vervulde hij deze taak terwijl Michelle de baby nog steeds in haar armen hield. Daarna werden ze, met een verpleegster en de kinderarts, naar een naastgelegen kamer gebracht terwijl de verloskundige de bevalling afwikkelde.

"Gaat het?" vroeg ze als terloops.

Louise lag met gesloten ogen in de kussens geleund. Ze kon niet verhinderen dat er twee hete tranen door haar dichte oogleden heen kwamen.

"Ik weet het niet," antwoordde ze fluisterend. "Ik heb me nog nooit eerder zo leeg gevoeld."

"Lichamelijk is in ieder geval alles in orde. Zal ik je man roepen?"

Louise knikte.

Dave stond al achter de deur, verlangend om zijn vrouw te zien en angstig voor wat hij aan zou treffen. In twee lange passen stond hij naast de verlostafel, waar hij haar in zijn armen nam. Op dat moment brak Louise. Ze klemde zich aan hem vast en begon hartverscheurend te snikken, alsof ze nooit meer op zou kunnen houden. Dave zond een hulpzoekende blik naar de verloskundige. "Laat haar maar even uitrazen, dat is de reactie," adviseerde die zacht. Ze wees naar de deur ten teken dat ze hen alleen liet en gebaar hem dat hij haar moest roepen als dat nodig was. Hij zag het amper, al zijn aandacht was voor Louise, die als een zielig hoopje mens in zijn armen lag. Ruim een kwartier lang huilde ze alle spanning van de afgelopen negen maanden eruit. Ze had zich al die tijd zo goed gehouden en zich zo verstandig gedragen, nu kon ze niet meer. Haar verstand leek weggevloeid te zijn uit haar lichaam. Het enige wat ze voelde was een enorme, gapende leegte in haar buik. De buik waar ze gisteren nog liefdevol tegenaan gepraat had.

"Het is te zwaar voor je, ik was er al bang voor," zei Dave. Zijn ogen waren donker van bezorgdheid. "Louise, je weet dat je nergens aan gebonden bent. Afspraken tellen in dit geval niet. Als jij het niet aankunt om de baby af te staan, dan houd je haar," zei hij in een totaal voorbijzien van Michelle en Ruben. Zijn enige zorg op dit moment was zijn vrouw, het ging om haar. "Ook al is ze biologisch gezien niet van mij, ik zal van haar houden omdat ze van jou is."

"Ze is niet van mij, ze is de dochter van Michelle en Ruben," zei Louise echter nasnikkend. "Daar gaat het helemaal niet om. Ik heb geen spijt, Dave."

"Waarom huil je dan zo?" vroeg hij verbijsterd. Een golf van opluchting sloeg door zijn lichaam heen. Hij had gemeend wat hij zei, als Louise de baby had willen houden, had hij haar daarin gesteund, maar als hij eerlijk was moest hij bekennen dat hij daar niet echt op zat te wachten. Ruben was de vader, hoe dan ook. Terugkomen op de afspraak zou de levens van hen alle vier behoorlijk gecompliceerd maken, maar voor Louise's gemoedsrust had hij dat echter wel over.

"Dat weet ik niet. Om alles, denk ik. Soms was het zo moeilijk. Dan schopte de baby en moest ik mezelf voorhouden dat ik niet de echte moeder ben. Dat is zo tegennatuurlijk."

"Daar heb je nooit iets van laten merken."

"Dat zou ook geen nut hebben. Ik heb al die tijd geweten waar ik aan begonnen was en wat ik moest doen."

"Had het maar gezegd," verweet Dave haar zachtzinnig. "Ik vond het namelijk zo vreemd dat je dergelijke gevoelens niet leek te hebben."

"Meer dan me lief was." Louise keek naar haar nu lege buik, die zacht en lubberig aanvoelde.

"Hoe voel je je nu?" wilde hij weten.

"Vreemd. Leeg. Uitgeput. Ontheemd," somde ze op. "Ik kan het niet goed onder woorden brengen. De afloop is zo anders dan het hoort te zijn. Normaal gesproken krijg je de baby meteen bij je en is iedereen blij als het kind gezond is. Nu weet ik niet eens of alles goed is met de baby." Ze sloeg haar ogen smekend naar hem op.

"Je wilt dat ik dat ga vragen," begreep Dave. Hij stond al op.

Louise wachtte gespannen op zijn terugkomst. De baby had slechts een heel klein kreetje gegeven na de geboorte, in tegenstelling tot Tessa en Timo, die allebei luidkeels hadden gebruld.

Hoewel ze van het begin af aan had beweerd dat ze alles het liefst anders wilde dan bij haar vorige twee bevallingen, stemde dit gegeven haar toch bezorgd. Als alles maar goed was. Michelle en Ruben verdienden een gezonde baby na alles waar ze doorheen waren gegaan. In dit verband dacht ze niet eens aan haar eigen bijdrage in dit geheel.

Dave kwam na een paar minuten terug.

"Jorinde heeft een score van tien, ze weegt bijna acht pond en ze schatten haar lengte op ongeveer tweeënvijftig centimeter," berichtte hij.

"Gelukkig." Als een leeggelopen ballon liet Louise zich terugzakken in de kussens, er viel een heleboel spanning van haar af.

"Ze noemen haar dus Jorinde," mijmerde ze. "Leuke naam."

"En Michelle wil graag even naar je toe komen. Kan je dat aan?" Louise aarzelde even, toen knikte ze. Dave opende de deur van de verloskamer en Michelle kwam binnen. De twee vriendinnen keken elkaar geëmotioneerd aan.

"Ik weet niet wat ik moet zeggen," stamelde Michelle toen. "Behalve dank je wel, dank je wel en nog eens dank je wel. Duizendmaal dank, Louise. Ik zal je nooit kunnen vergoeden wat je voor ons gedaan hebt. Dit is zo'n gigantisch groot geschenk."

"Houd van haar en zorg goed voor haar, dat is beloning genoeg voor mij," zei Louise met een schorre stem.

"Gaat het goed met je?" vroeg Michelle aarzelend.

Louise knikte, al ging het met moeite. "Goed genoeg, in ieder geval. Maak je om mij geen zorgen, gaan jullie nu maar genieten van Jorinde."

Er brak een brede lach door op Michelle's gezicht en zwijgend omhelsden de vriendinnen elkaar, in een woordloos begrip voor elkaars gevoelens. Hier waren geen woorden voor nodig.

Michelle vluchtte, na toestemming van de kinderarts, zowat het ziekenhuis uit met Jorinde in haar armen. Voor ze de auto in stapte, keek ze aan alle kanten om zich heen.

"Je hoeft niet bang te zijn," zei Ruben met een begrijpende glimlach. "Ze is van ons, schat. Niemand kan haar meer afpakken."

"Jawel. Louise kan spijt krijgen en alles alsnog terugdraaien. Daar heeft ze zelfs een jaar de tijd voor," zei Michelle. Haar stem klonk benepen.

"Dat doet ze niet," beweerde Ruben beslist. "Daar is Louise het type niet voor."

"Heeft dat met een bepaald type te maken?" vroeg Michelle zich hardop af. "We praten hier over gevoelens en die zijn nu eenmaal niet te dwingen. Jorinde heeft negen maanden lang in haar lichaam geleefd, ze is er in gegroeid, ze heeft er van gegeten. Hoe je het ook wendt of keert, dat feit kan niemand ontkennen. Ik zou het haar niet eens kwalijk kunnen nemen als ze alsnog besluit dat ze het resultaat van al die inspanningen, Jorinde, zelf wil houden."

"Stel dat dat inderdaad gebeurt, wat ik overigens niet geloof, dan is het moment waarop ze daar over begint vroeg genoeg om ons zorgen te maken," merkte Ruben verstandig op.

Ondertussen had hij de auto hun straat ingereden en voor de deur geparkeerd. Hij keerde zich naar Michelle toe.

"Geniet van het moment. We hebben een baby, Michelle. Eindelijk hebben we onze baby. Laat deze unieke tijd niet overschaduwen door irreële angsten. Kijk nu eens naar haar." Beiden wendden hun hoofden tegelijkertijd naar de achterbank, waar Jorinde in haar speciale autowiegje heerlijk lag te slapen. Het kleine mondje was vertrokken alsof ze glimlachte. Alsof de baby voelde dat er naar haar gekeken werd, opende ze haar oogjes.

"Wat is ze mooi, hè?" fluisterde Michelle ontroerd.

"Het mooiste kind ter wereld. En ze is van ons. Wees niet bang om van haar te houden," zei Ruben ernstig.

"Dat is het probleem niet," zei Michelle met een klein lachje. "Ik hou nu al zo onvoorstelbaar veel van haar. Ik denk niet dat ik meer van haar had gehouden als ik haar zelf negen maanden gedragen had."

"Dat mag ook, want ze is van jou."

Michelle stapte uit en pakte uiterst voorzichtig het wiegje van de achterbank. Plechtig droegen ze haar voor de eerste keer hun huis in.

"Is het al tijd voor haar flesje?" informeerde Ruben zorgzaam.

"Bijna," antwoordde Michelle met een blik op de klok. "Het is in ieder geval de moeite niet meer om haar voor haar voeding nog in bed te leggen."

"Mooi," zei hij tevreden.

Hij tilde Jorinde uit het wiegje en met zijn drieën namen ze plaats op de bank, intens genietend van elkaar.

Het was een gouden moment. Na alle ellende en tegenslagen van de laatste jaren had Michelle niet verwacht ooit nog zo gelukkig te worden. Toch was het een geluk met een donker randje. De angst zat er diep in bij haar. Carla had wat dat betrof heel wat aangericht. Al begreep Michelle dat die haar eigen kindje had willen houden, nu beter dan ooit zelfs, ze nam haar nog steeds kwalijk dat ze zo lichtzinnig met hun gevoelens om was gegaan. Dit moment maakte echter veel goed. Bijna alles zelfs. Haar diepgewortelde wens om een kind te krijgen was dan toch eindelijk vervuld, al was het op een vreemde manier gegaan. Dat Jorinde de biologische dochter van Ruben was, maakte het extra speciaal.

Vanwege de verdoving die ze had gekregen moest Louise nog een nacht in het ziekenhuis blijven. De volgende ochtend haalde Dave haar op. Ze had haar spullen al gepakt en zat aangekleed op een stoel op hem te wachten. Hij keek haar peilend aan.

"Gaat het?"

Louise knikte. "Ik voel me goed."

"Lichamelijk gezien, ja. Maar voor de rest?"

Ze keek met een glimlach naar hem op. "Lieverd, je hoeft je geen zorgen te maken om me. Het is vreemd en ik voel me leeg, maar ik ben niet van plan om in te storten of zo. Ik weet waar ik het voor gedaan heb." Ze strekte haar hand naar hem uit. "Kom, we gaan naar huis. Naar onze eigen kinderen."

"Ze hebben je gemist," zei Dave.

Met de armen om elkaar heen geslagen liepen ze het ziekenhuis uit. Louise keek nog één keer om voordat ze in de auto stapte. Ze had vreemde uren beleefd in dit gebouw, uren die ze nooit zou vergeten. Hoewel ze van tevoren had geweten dat het kindje wat ze droeg niet voor haar was, had het moment waarop Jorinde in Michelle's armen werd gelegd, toch pijn gedaan. Ze had zich echt in moeten houden om haar niet van Michelle af te pakken. In de loop van de nacht waren die gevoelens weggeëbd. Het geluk op de gezichten van Michelle en Ruben was alles waard geweest.

Eenmaal thuis pakte ze na een korte aarzeling de telefoon.

"Met Michelle," klonk het in haar oor.

"Hoi, met mij. Ik ben weer thuis," zei Louise.

Even viel er een korte, geladen stilte tussen hen.

"Hoe gaat het met je?" vroeg Michelle toen. Er klonk een onder-toon van angst door in haar stem.

"Prima. De kids zijn dolblij dat ik er weer ben. Beatrice had zelfs gebak gehaald."

"Dat bedoel ik niet, dat weet je best."

"Ja, maar ik vind het moeilijk om over te praten," gaf Louise toe.

"Vertel me liever hoe het bij jullie gaat. Hoe doet Jorinde het?"

"Ze is vannacht maar één keer wakker geworden voor haar fles," vertelde Michelle.

"Fijn."

Michelle beet op haar onderlip. Het was net of ze met een wil-lekeurige kennis aan de lijn zat in plaats van met haar beste vriendin, die ook nog eens zo onnoemelijk veel voor hen over had gehad. Er leek ineens een levensgrote barrière tussen hen te bestaan.

"Heb je…? Ik bedoel, wil je…?" hakkelde ze.

"Michelle, ik heb nergens spijt van," onderbrak Louise haar. "Wees niet bang, geniet van haar en zorg goed voor haar. Maak je alsjeblieft niet druk om mij. Ik heb alles met liefde gedaan en ben absoluut niet van plan om van gedachte te veranderen. Jorinde is van jullie."

"Dank je wel," zei Michelle geëmotioneerd. De tranen stroomden over haar wangen.

Ze verbraken de verbinding en Michelle keek naar Jorinde, die ze net had verschoond en die tevreden lag te slapen. Er brak een lach door haar tranen heen. Eindelijk begon ze het echt te geloven. Jorinde was van hun.

SLOT

"Gefeliciteerd. Een jaar alweer. Jeetje, wat is dat snel gegaan." Louise kuste Michelle op allebei haar wangen, daarna keek ze bewonderend naar de slingers en ballonnen die her en der door de tuin waren opgehangen. Het was prachtig weer, dus hielden ze het feestje ter ere van Jorinde's eerste verjaardag buiten. Ruben was al druk bezig aan de barbecue, om straks al hun gasten van een lekker maal te kunnen voorzien.

"Waar is het feestvarken?" informeerde Dave.

"Zeg, wil jij mijn dochter geen varken noemen?" lachte Michelle. "Ik prefereer feestprinses."

"Ach hemel, dat kind wordt verziekt bij het leven," zei Louise terwijl ze met haar ogen rolde. "Weet je nog wat je vorig jaar in het ziekenhuis zei, dat het misschien wel zo'n kind zou worden wie niemand op visite wil hebben? Als dat zo is, is het je eigen schuld, hoor."

"Dat zal wel meevallen. Het verwennen van Jorinde komt meer van jullie kant vandaan."

Ze knikte naar een hoek van de tuin, waar Beatrice met Jorinde in haar armen stond. Hoewel haar zoon Dave genetisch gezien niets met het meisje te maken had, beschouwde ze haar evengoed als kleinkind als Tessa en Timo en verwende ze haar schromelijk. Als het om de drie kinderen ging maakte ze geen enkel onderscheid. Michelle liet het maar zo. Zolang Beatrice Jorinde niet wijsmaakte dat zij, Michelle, eigenlijk haar mama helemaal niet was, maakte ze zich er niet druk om. Een klein kind kon nooit genoeg liefde krijgen, was haar stelregel, en liefde schonk Beatrice met gulle hand aan de kleintjes. "Mijn beurt," zei Louise terwijl ze Jorinde van haar schoonmoeder overnam. Ze kietelde het kleine meisje onder haar kin en drukte vervolgens een kus op haar voorhoofd. "Gefeliciteerd meiske," zei ze zacht. "Kijk eens, tante Louise heeft een cadeautje voor je meegebracht."

Jorinde kraaide en klemde het in kleurig papier gestoken cadeau stevig tegen zich aan. De grote, bruine ogen straalden van plezier en levenslust.

Met de arm van Ruben stevig om haar schouder geslagen, sloeg Michelle het tafereeltje met een glimlach gade. Gedurende de eerste maanden van Jorinde's leven had ze er moeite mee gehad als Louise haar op haar arm droeg of op schoot had. Soms had ze zelfs de neiging gevoeld om haar kind van Louise los te rukken en te vluchten. Al had ze zich vanaf het eerste moment haar moeder gevoeld, het duurde nog best lang voor ze echt besefte dat Jorinde van háár was en dat Louise haar niet terug zou eisen. Louise had zich die eerste tijd overigens niet zo heel vaak laten zien bij Michelle thuis. Ze vermeed het contact een beetje uit angst voor de gevoelens die de kleine baby bij haar losmaakte. In de loop der maanden waren die angsten en onzekerheden echter bij beiden steeds minder geworden en inmiddels was de vriendschap weer als vanouds. Beter nog zelfs. Ze werden verbonden door het kleine meisje wat nu enthousiast het papier van het pakje afscheurde, al werd er nooit over gepraat. Zelfs Beatrice praatte er niet over, iets wat Louise een klein wonder noemde. Dat hoefde ook niet, ze wisten allemaal hoe het zat. Louise beschouwde Jorinde als een nichtje. Omdat het contact inmiddels weer veelvuldig was, zag ze haar vaak. De pijn van het begin was vervaagd en ze stond er nu nooit meer bij stil dat Jorinde in haar lichaam was gegroeid, hoewel ze met haar een hechtere band had dan ze met een willekeurig nichtje zou hebben. Bij de notaris was officieel vastgelegd dat ze over en weer voor elkaars kinderen zouden zorgen als er iets met één van de echtparen zou gebeuren.

"Wat sta je te staren?" vroeg Ruben zacht in Michelle's oor.

"Ik sta te bedenken hoe ontzettend gelukkig ik ben," zei Michelle. "Het heeft wat jaren geduurd voor ik dat weer kon zeggen en als ik zelf mijn levensverhaal had mogen regisseren was het anders gelopen, maar achteraf kan ik zeggen dat het goed is zo. Het gaat niet meer om alles wat hieraan vooraf is gegaan, het gaat om het resultaat."

"Een fantastisch resultaat, kunnen we wel zeggen," was Ruben het met haar eens.

"Dat zeg je alleen omdat Jorinde op jou lijkt en iedereen roept dat het zo'n knap kind is," plaagde Michelle hem.

Hij sloeg zich verwaand op zijn borst. "Kwestie van goede genen," zei hij nog voordat hij zich weer tot de barbecue wendde.

Een jaar geleden zou een dergelijke opmerking haar pijn hebben gedaan, tegenwoordig was ze alleen maar blij dat hij dit soort dingen zonder nadenken zei. Het bewees dat ook Ruben nooit stilstond bij het feit dat zij niet de biologische moeder was. Als hij dat wel zou doen, zou hij zoiets namelijk nooit zeggen omdat hij haar niet wilde kwetsen.

Zo hadden ze langzamerhand allemaal hun plekje gevonden in dit bijzondere verhaal, wat voor hen ondertussen vanzelfsprekend was geworden. Ruben en Michelle konden zonder terughoudendheid genieten van hun kind.

Hun kind… Dat bleef toch mooi klinken, peinsde Michelle. Jorinde zou enig kind blijven, daar waren ze al uit. Waar zij doorheen gegaan waren kon een tweede keer alleen maar minder goed uitpakken, bovendien konden ze Louise onmogelijk vragen een dergelijk offer nog een keer te brengen. Ze had nooit geklaagd, maar Michelle wist heel goed hoe zwaar het haar vriendin gevallen was. Ze kon alleen maar zielsdankbaar zijn dat dit geen negatieve gevolgen voor hun vriendschap had veroorzaakt.

Jorinde worstelde zich los uit de armen van Louise en stapte met wankele, onzekere passen naar Michelle toe, haar nieuwe cadeau als een schat in haar armen. Vlak voor Michelle verloor ze haar evenwicht en Michelle was net op tijd om haar voor een val op de tegels te behoeden.

"Mama," zei Jorinde tevreden terwijl ze haar hoofd tegen haar schouder legde.

Over haar hoofdje heen keken Michelle en Louise elkaar aan, de eerste met een dankbare blik in haar ogen. Louise glimlachte. Ze had geen spijt, het was goed zo.